「運気が上がる手相」のつくり方

幸運を引き寄せる実践メソッド

改訂版

北島禎子 著

Mates-Publishing

はじめに

手相は、あなたの〈人生の地図〉なのです。

私たちは、その地図をしっかり握りしめて生まれてきました。
手相という地図には、具体的な名前が書かれていないのですが、その代わりにあなたの手の中に刻まれた線（ライン）やサインなどのしるしが描かれています。手はまさに、これらを使って人生のすべてを物語っているのです。
その人の人生が刻まれている手に現れる線などから、その人の人となりや運勢などを判断するのが、手相鑑定の醍醐味です。
けれど、人生は宝石のように輝く「良いこと」ばかりではありません。「人生を好転させたい」あるいは「こんな自分になりたい」という願いがあっても、望む線がなかなか手相に刻まれないことは大いにあります。そんなとき、手に線を描き込む〈ハンドライン術〉をすすめています。

なぜ、線を描くことをすすめるか。それは、線を手のひらに描くことで気の流れが活性化され、手相が変化していくからです。まずは、「なりたい自分」や「叶えたいこと」をイメージしましょう。そのイメージにかなった線を手に描いていきます。線を描くときに、「なりたい自分」を「自分はこうなる」という強い意志へと変化させることも大切です。

〈ハンドライン術〉を活用することで、代替え不可能な人生であなた自身の『人生の地図』が、さらにステキなものになるよう心から願っています。

北島禎子

「運気が上がる手相」のつくり方 改訂版

目次

※本書は2018年発行の『「運気が上がる手相」のつくり方 プロが教える引き寄せのコツ』を元に内容の確認、加筆・修正を行い、「改訂版」として新たに発行したものです。

第一章

「幸運をつかむ手」の 持ち主になろう！

「手相」って、どんなもの？

「手相」の起源、考え方を知りましょう

まずは、「手相とはどんなものなのか」を知ることからスタートしましょう。

約三千～五千年前の古代インドの学問から発祥した「手相」

手相が生まれたのは、古代インドといわれています。インドで発祥した手相学は中国に渡り、易学を取り入れて発達し、仏教とともに日本に伝えられました。これを「東洋手相術」といいます。

その後、明治時代にインドからヨーロッパに伝わった「西洋手相学」が日本に伝わり、「東洋手相術」と融合して日本で根づいていきました。

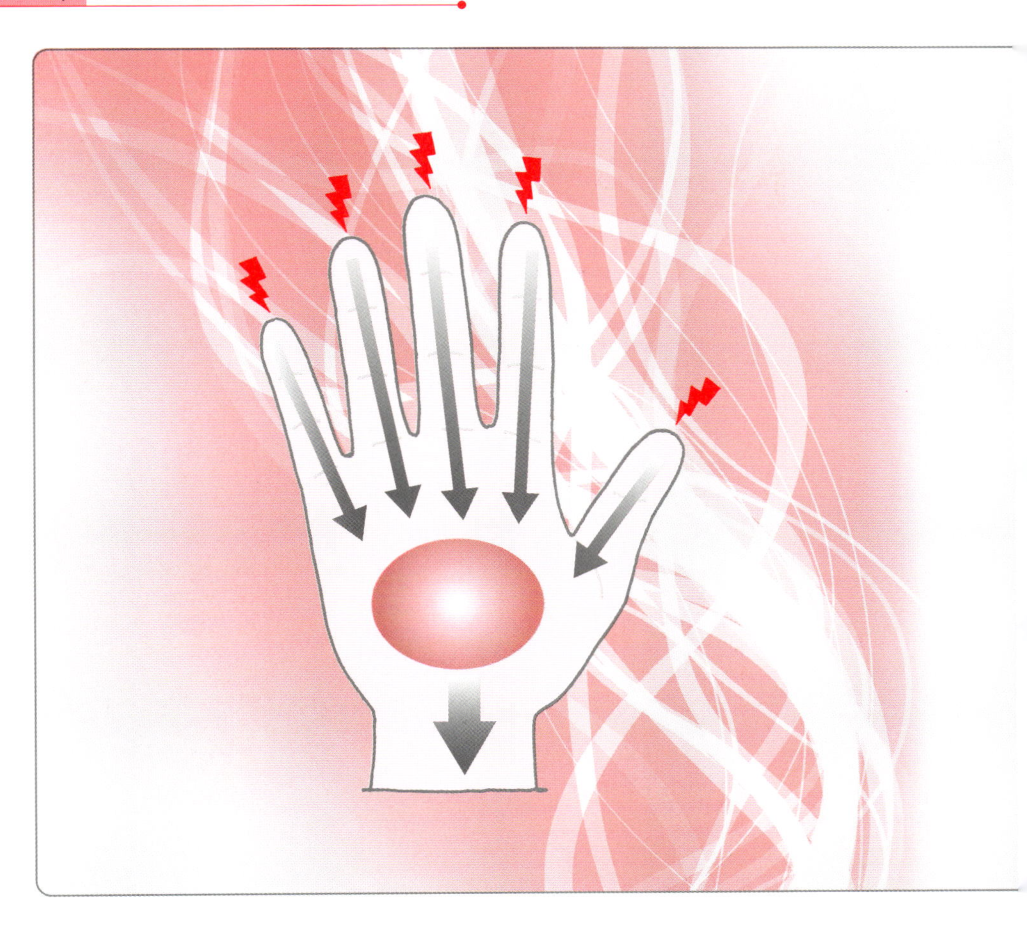

手には宇宙のエネルギーが宿り、その人を導いてくれる手相

古代インドの手相学は、インド占星術との関係が密接で「天体は人間の手のひらに宿り、人の運命を導く」と考えられ、現代の手相学の基礎となっています。また、体つきと運命との関係性の研究から「手のひらのシワが最も運命を表す」と考えられていました。

「天体は人間の手のひらに宿る」という言葉は、運気やエネルギーの流れを示しています。「指でキャッチした運気やエネルギーは、指を伝わって手のひらに宿り、手首へと移動していく」というイメージです。

つまり、「手相」は、手のひらに宿った運気やエネルギーを読み解くことでその人の運命を知り、よりよい運勢へと導き、切り開いていくものだといえます。

手にシワができるのは、なぜ？

手のシワと脳の関係、手と体の関係を知りましょう

なぜ、手に刻まれたシワが変化するのか。また、健康状態がわかるのは、なぜなのか。その不思議について、お話ししたいと思います。

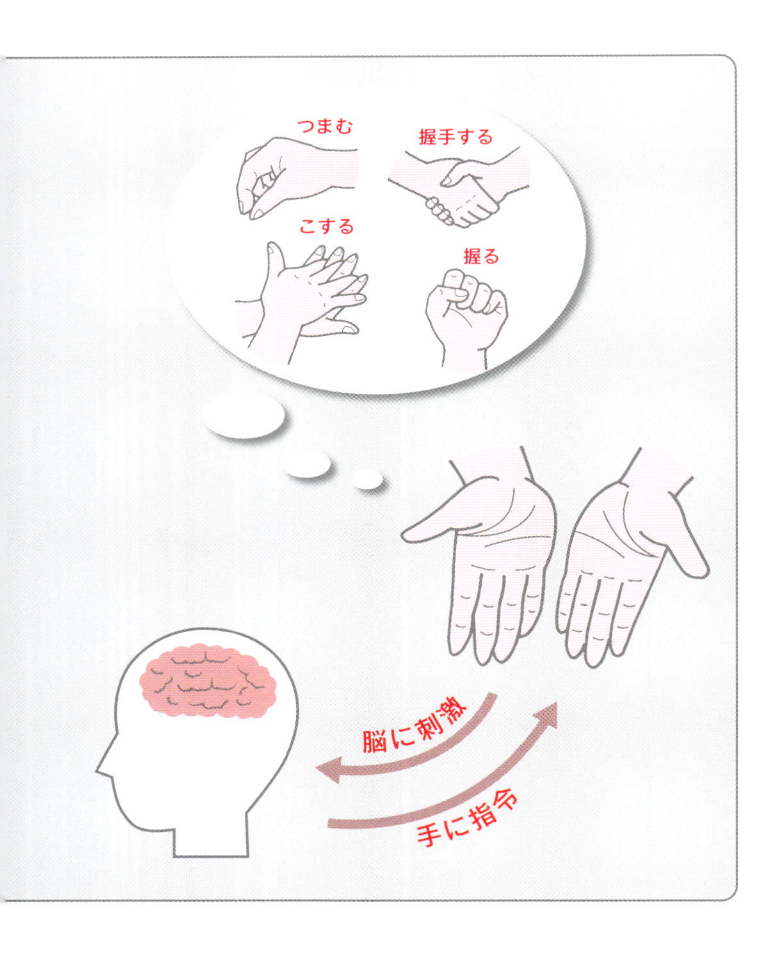

手のシワが変化する理由は、「手」と「脳」の関係にあり

古代インドでは「手のひらのシワが最も運命を表す」といわれていたお話をしましたが、手のひらのシワは、なぜ変化するのでしょうか。

物をつかんだり、つまんだり、また人と握手をするなどの手の動きは、脳が指令を出すことによって成り立っています。手を動かすと、今度はその動きが脳

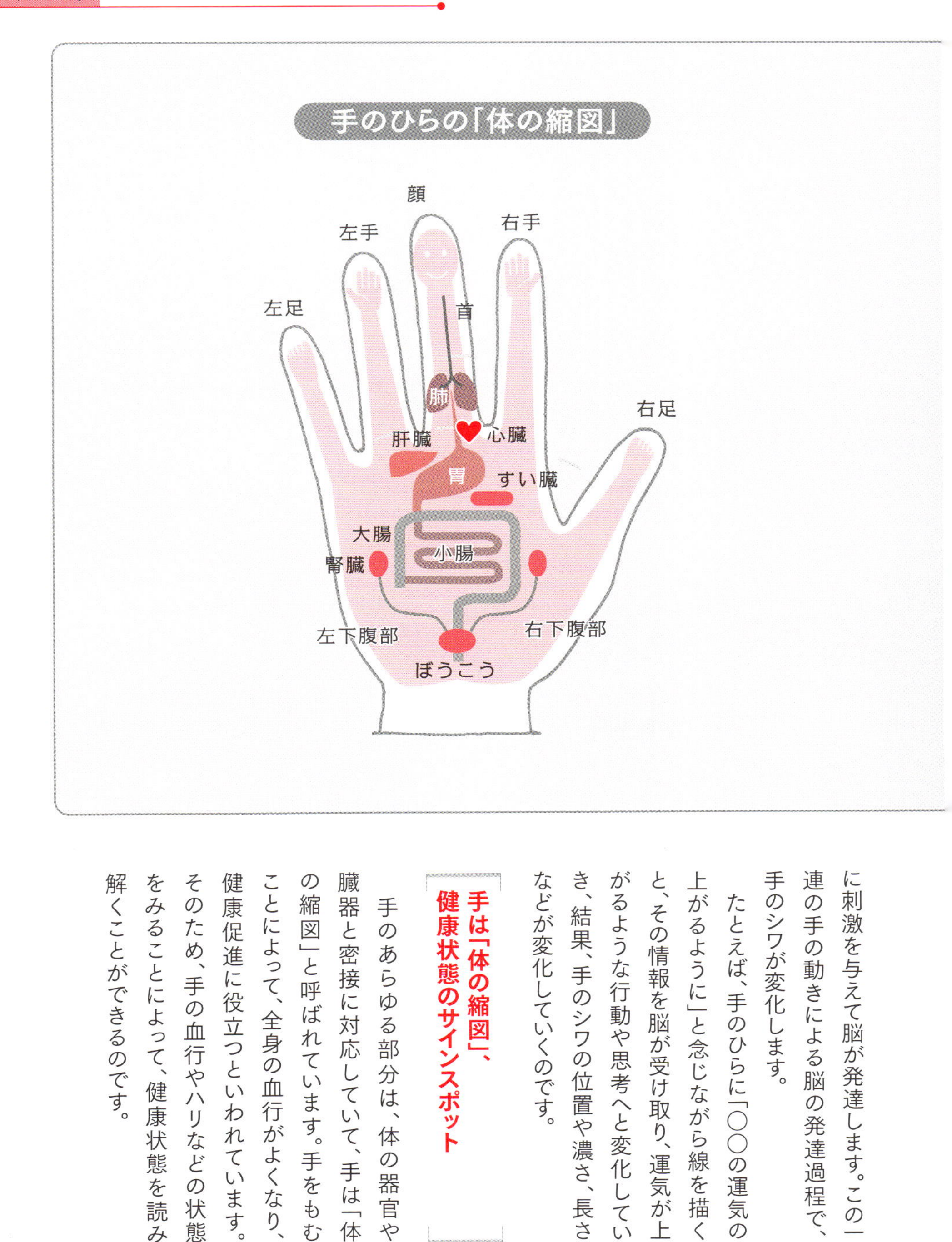

に刺激を与えて脳が発達します。この一連の手の動きによる脳の発達過程で、手のシワが変化します。

たとえば、手のひらに「〇〇の運気の上がるように」と念じながら線を描くと、その情報を脳が受け取り、運気が上がるような行動や思考へと変化していき、結果、手のシワの位置や濃さ、長さなどが変化していくのです。

手は「体の縮図」、健康状態のサインスポット

手のあらゆる部分は、体の器官や臓器と密接に対応していて、手は「体の縮図」と呼ばれています。手をもむことによって、全身の血行がよくなり、健康促進に役立つといわれています。そのため、手の血行やハリなどの状態をみることによって、健康状態を読み解くことができるのです。

「幸運をつかむ手」って、どんな手？

「幸運をつかむ手」の5つの条件

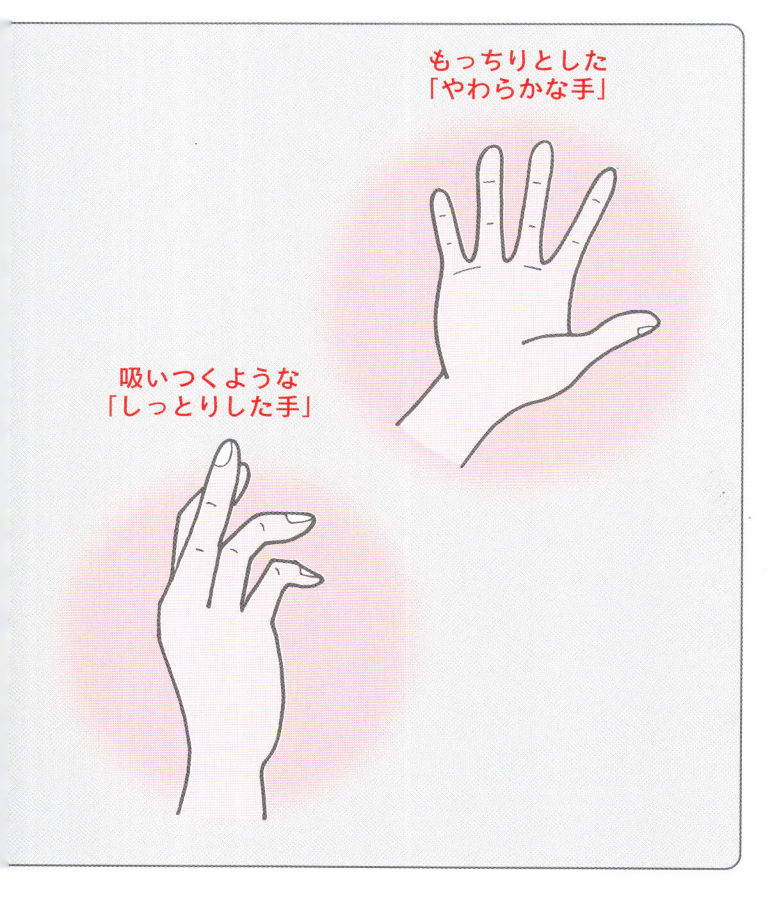

「幸運をつかむ手」の条件は、5つ。この条件は「健康な手」の条件と同じです。つまり健康な手には、「幸運」が宿るということですね！

1 もっちりとした「やわらかな手」

見た目もふっくらもっちりとして、やわらかい印象のある手。柔軟な考え方で運気も良好。

2 吸いつくような「しっとりした手」

すべすべして潤いがあり、なめらかな印象のある手。思いやりがあり、人間関係が円滑でどんな人にも愛されます。

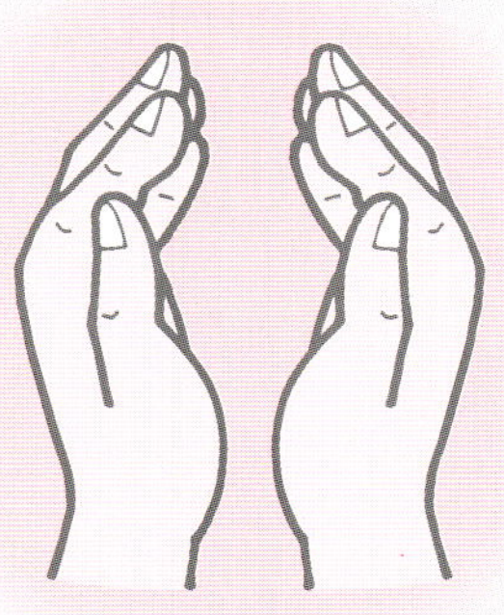

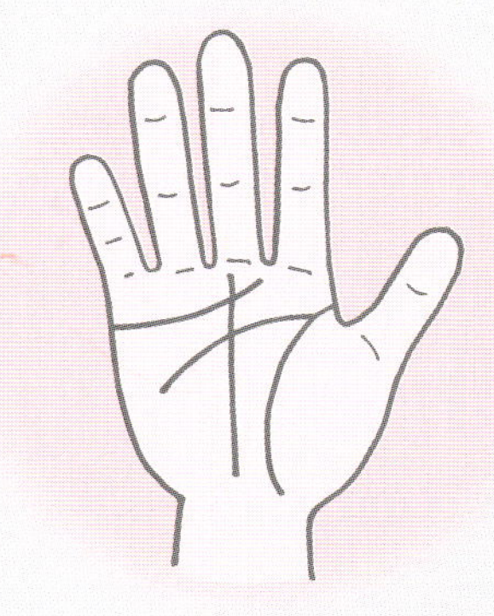

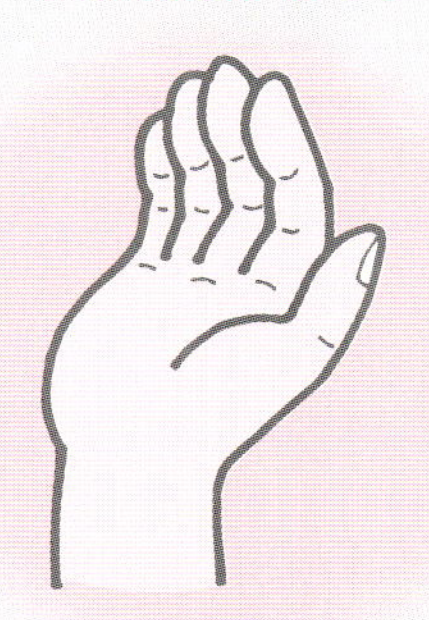

3 弾力のある「肉厚な手」

人を包み込むような弾力のある手。相手を包み込むようなタイプ。多くの人を引き寄せるパワーを持ち、リーダーの素質があります。

4 人をホッとさせる「あたたかな手」

人肌よりも温かく、触るとホッとするような手。人格者で軽快な性格なので、誰からも慕われます。

5 四大基本線がくっきり見える手

生命線、知能線、感情線、運命線の四大基本線（P48～参照）などの線が、はっきりとした線で見える手。将来への展望や目的がはっきりしていて、強運の手相といわれています。

「幸運をつかむ手」は、右手?左手?

あなたの未来・過去を表す手を知りましょう

あなたの「幸運をつかむ手」は、左右どちらの手でしょうか?
まずは、あなたの左右の手が、どんな意味を持っているのかを知りましょう。

利き手が「現在・未来など」を逆の手が「過去など」を現す

手相は一人ひとりで異なり、そして手相鑑定を行うときは、利き手をみてから両手を比較して鑑定を行います。
なぜ、利き手をから鑑定するのか。それは、**利き手には「現在・本来・後天的な才能」**などの情報が刻まれているからです。一方、**逆の手では「過去・**

利き手

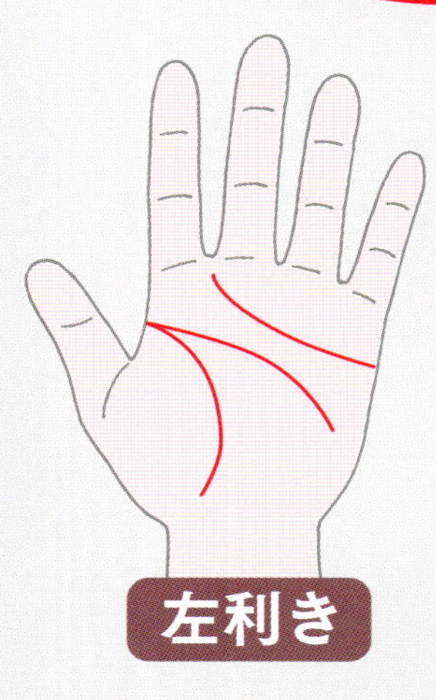

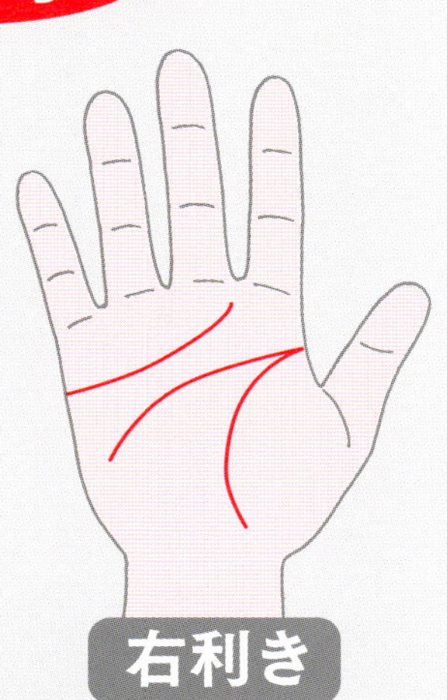

現在の状況・未来の運勢・後天的な才能

- 現在の性格・人間関係
- 現在の能力・才能
- 現在の恋愛
- 近未来の人生の流れ
- 近未来の金運
- 近未来の開運期
- 近未来の不動産運

逆の手

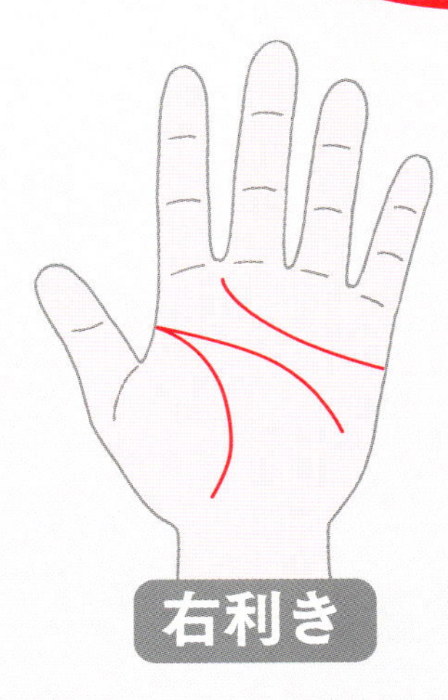

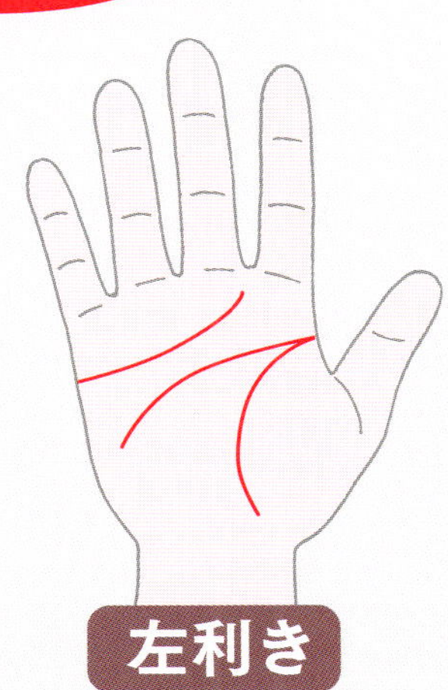

右利き　左利き

過去・先天的な運気や才能

- 資質・性質
- 生まれ持った潜在能力
- 本来求める愛
- 人生の長期的展望
- 生まれ持った金運
- 将来の出会い

先天的な運気や才能」などの情報を得ることができます。そのため、手相鑑定では、利き手をみてから、逆の手を見て総合的に鑑定を行います。

「幸運をつかむ手」は、利き手！

手の線、とくに細かい線は、日々微妙に変化します。これは、手と脳が密接な関係を持っていて、環境や心の変化などによって、手相が変化するためといわれています。逆に考えれば、「なりたい自分」を思い描きながら、線を描くことで「なりたい自分」に近づけるということでもあります。

「幸運をつかむ手」は、現在・未来・後天的な才能を現す〈利き手〉になります。右利きの人は右手、左利きの人は左手が「幸運をつかむ手」で、「なりたい自分」のハンドライン＝線を描く手なのです。

「幸運をつかむ手」のベースをつくる

「幸運」が宿る、健康的な手をつくりましょう

「幸運をつかむ手」の5つの条件をみて「幸運の手にはほど遠い…」と思った方も大丈夫。手のストレッチやマッサージで「幸運をつかむ手」をつくりましょう。

「幸福をつかむ手」をつくる準備は、清潔な手から

冒頭でお話ししたように、指は天体のエネルギーや運気をキャッチして取り込み、手はその運気やエネルギーを蓄える場所です。

あなたは、日常的に手のケアをしていますか？　毎日よく働く手は、思っている以上に凝っていて硬くなっていたり、乾燥してガサガサになっていることがあります。

ストレッチやマッサージ以前に、「幸運をつかむ手」をつくるために、まずは日々手をケアすることを心掛けましょう。

ケアの方法は、簡単！　まず、この3つを実践してみましょう。

①ツメを切って、清潔に

②手洗いは、こまめに

③ハンドクリームで潤いを

「健康な手」には、幸運が呼び寄せられる！

指が受け取って、手のひらに蓄えられて手首に流れる「運気」や「エネルギー」。運気やエネルギーが滞りなく、流れるためには、指や手を含めて体のすみずみまで血液が巡っていることがとても大切になります。

そのため、手のストレッチやマッサージを行うことは、とても効果的。血流がよくなり、よい運気やエネルギーが全身に行き渡って「幸運をつかむ手」のベースがつくられていきます。

また、手は「体の縮図」であるといいましたが、手のストレッチやマッサージは血行促進はだけでなく、脳の活性化、全身の血行改善・細胞の活性化にもつながります。さらに、体調の改善、リラクゼーション、アンチエイジングなど、健康維持にも効果的です。

「幸運をつかむ手」は、手のお手入れから
② 手洗いは、こまめに
① ツメを切って、清潔に
③ ハンドクリームで潤いを

手のストレッチやマッサージは、運気アップだけでなく、健康にも効果的ということ。まさに、幸運をつかむ手＝健康な手なのです。

ストレッチとマッサージで血行促進！「幸福をつかむ手」をつくりましょう

「幸運をつかむ手」をつくるための〈基本のストレッチ＆マッサージ〉を３つご紹介します。

① 手全体の血行をよくして、運気を活性化させるストレッチ

② エネルギーの貯蔵庫「丘」を元気にするストレッチ

③ 手全体をリラックスさせるストレッチ＆マッサージ

ハンドクリームなどをたっぷりつけて行うとより効果的です。時間のあるときには、各運勢のストレッチ＆マッサージも、ぜひ取り入れてましょう。

1 手全体の血行をよくして、運気を活性化させるストレッチ

まず、手や手首、手全体の血行を促すストレッチを左右の手で行います。手の血行をよくして、運気を活性化させましょう（1回3セットを目標に）。

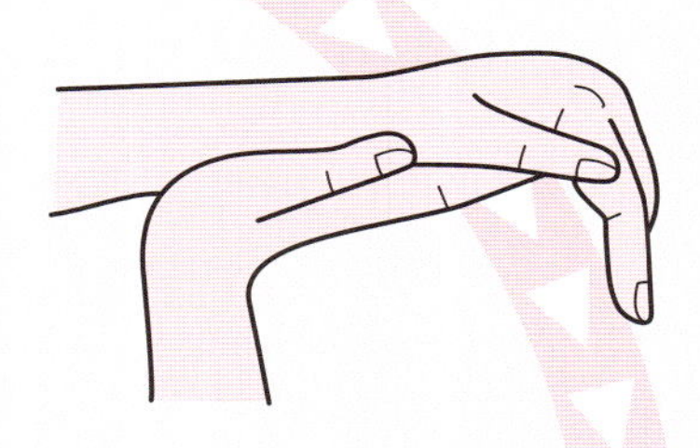

1

【手首のストレッチ（外側）】

① 手のひら上に向けて、手首を曲げる
② もう片方の手のひらを重ねてのせる
③ 上の手を下の方向にゆっくりと押して数秒手首を伸ばす
④ 力をゆるめ、ストレッチを両方の手に行う

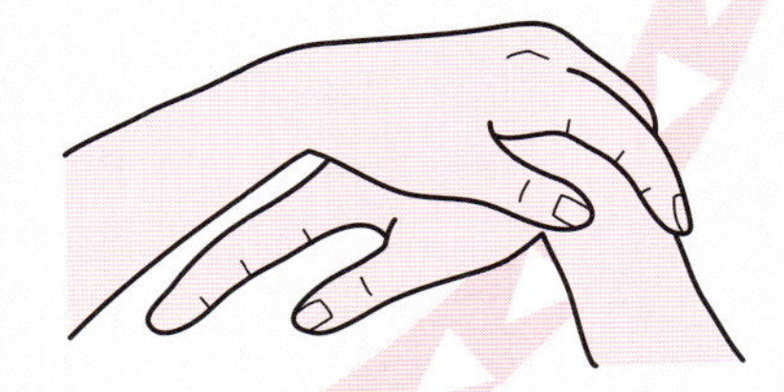

2

【手首のストレッチ（内側）】

① 手を内側に曲げ、その上にもう片方の手のひらをのせて下の手首を軽くつかむ
② 上になった手のつけ根を下の方向にゆっくりと数秒間押す
③ 力をゆるめ、ストレッチを両方の手に行う

4

【指のリラックス】

① 指のつけ根をもう片方の手でしっかりつかむ
② 指先に向けてやさしく引き、指先まできたらスポッと抜く
③ ①と②を両方の手、各指で行う

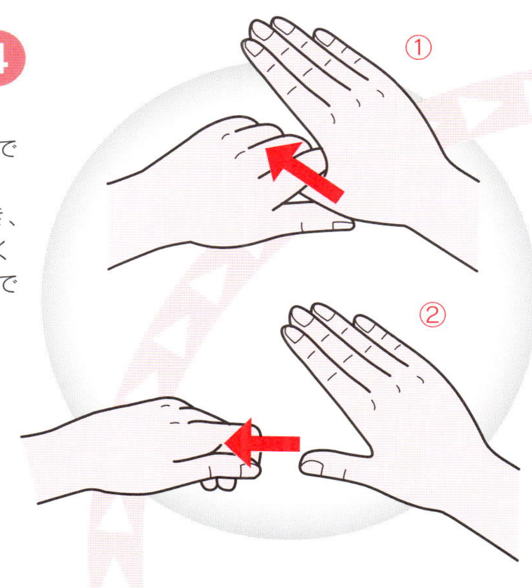

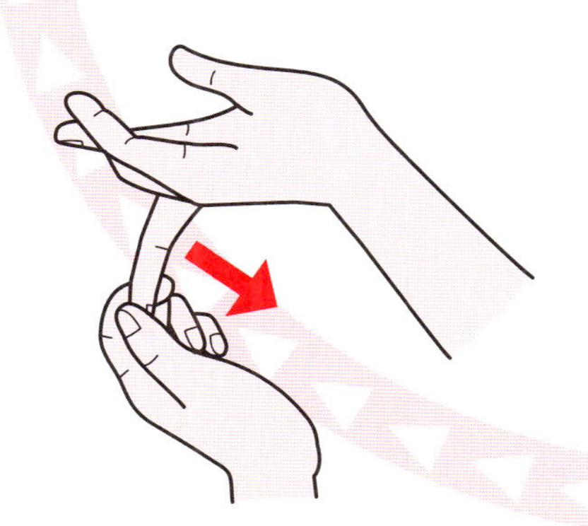

3

【指のストレッチ】

① 手のひらを上に向け、もう片方の手で指の先を手の甲へ向けて反らし、ゆっくりとのばす
② 各指で行い、両手で行う

2 エネルギーの貯蔵庫「丘」を元気にするストレッチ

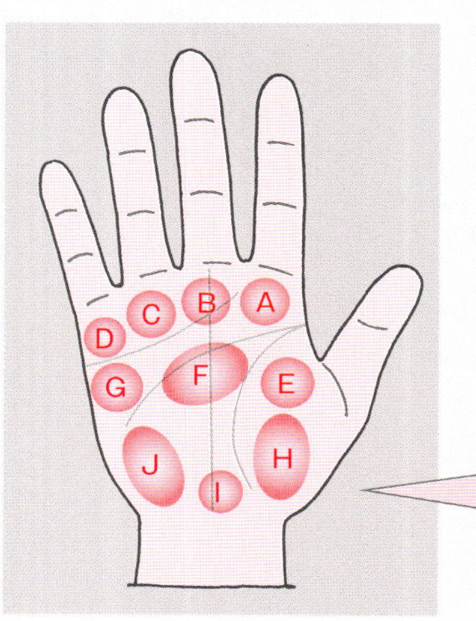

手のひらの指のつけ根の盛り上がった部分「丘」は、各指で受け取った運やエネルギーを貯蔵する場所です。いきいきして血色のよい丘は、運やエネルギーを活性化してくれます（両手で1回3セットを目標に）。

※「丘」については、P36「手のひらの丘と平原の意味を知ろう」参照

A. 木星丘
B. 土星丘
C. 太陽丘
D. 水星丘
E. 第一火星丘
F. 火星平原
G. 第二火星丘
H. 金星丘
I. 地丘
J. 月丘

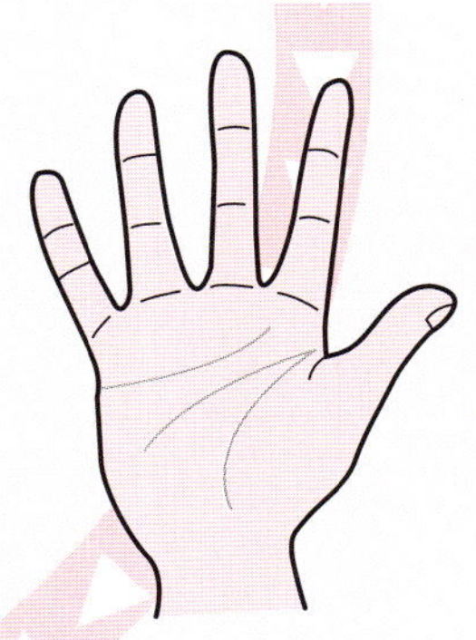

【手のひらをほぐすストレッチ】
手のひらを反って、指の間をできる限り開く

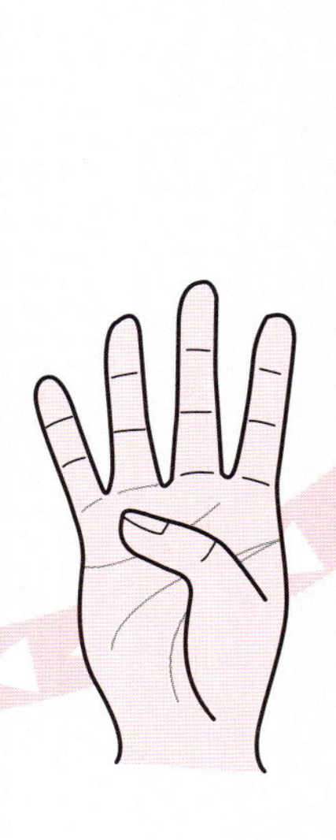

2 **【金星丘をほぐすストレッチ】**
① 親指だけを曲げる
② ①同様に指の間をできる限り開く

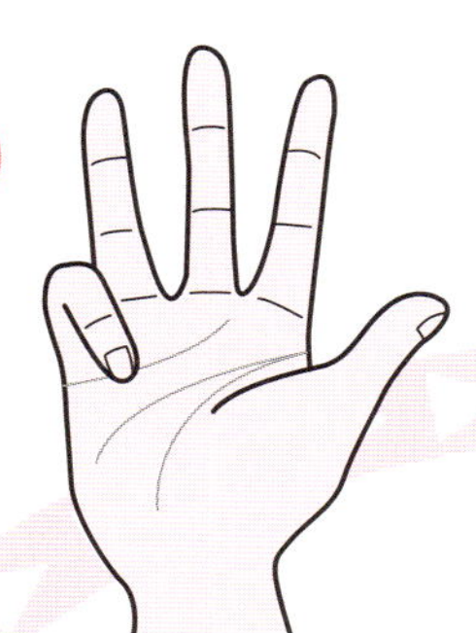

【水星丘をほぐすストレッチ】

① 小指だけを曲げる

② ①同様に指の間をできる限り開く

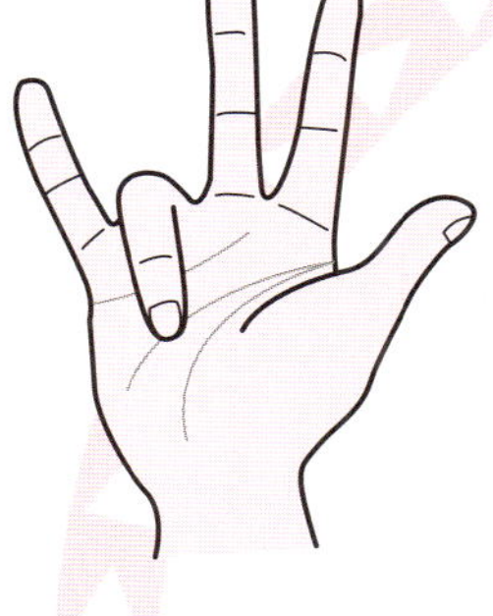

5

【太陽丘をほぐすストレッチ】

① 薬指だけを曲げる

② ①同様に指の間をできる限り開く

4

【土星丘をほぐすストレッチ】

① 中指だけを曲げる

② ①同様に指の間をできる限り開く

【木星丘をほぐすストレッチ】

① 人差し指だけを曲げる

② ①同様に指の間をできる限り開く

3 手全体をリラックスさせるストレッチ＆マッサージ

手や指、丘のストレッチの最後に、よくなった血行を持続させながら、手全体をリラックスさせましょう（1回3セットを目標に）。

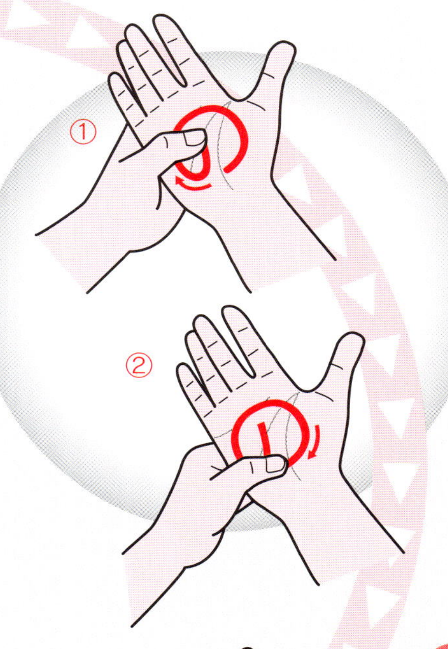

1

【手のひらのマッサージ】

①② 手のひらを上に向け、片方の手の親指で「の」の字を書くようにポイントをずらしながら、手のひら全体をまんべんなく押す

③ 両方の手に行う

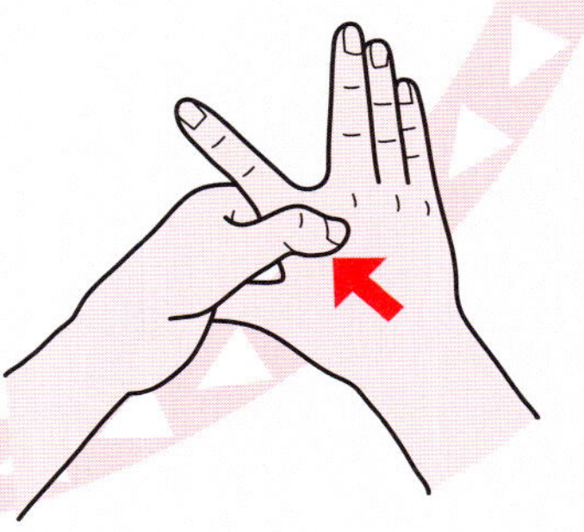

2

【手の甲のマッサージ】

① 手の甲の各指の骨と骨の間の手首側に、もう片方の手の親指をあてる

② 骨と骨の間に沿って、指のつけ根までずらしながら押す

③ 両方の手に行う

4

【指のストレッチ】

① 手の甲を包むように、もう一方の手で握る

② 手首から指先に向けて、位置をずらしながらやさしく締めるように握る

③ 両方の手に行う

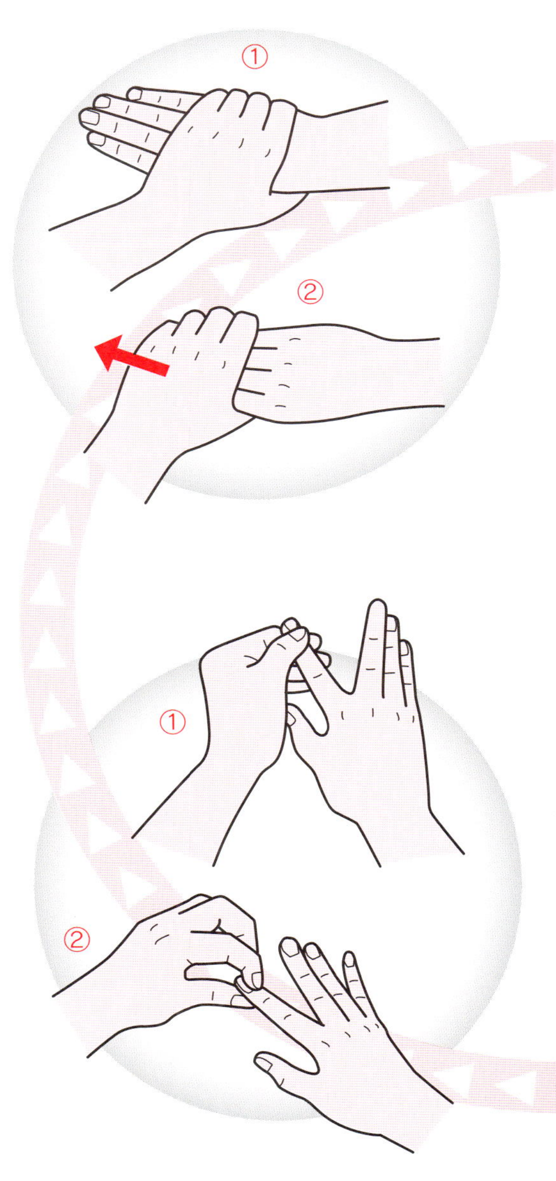

3

【ツメのつけ根マッサージ】

① 各指のツメのつけ根部分を、もう一方の手の親指と人差し指で軽く押す

② 親指と人差し指の位置を少しずつ変えながら、押す

③ ①と②を両方の手の各指で行う

ハンドラインで、運命の足跡＝手相をよりよいものに！

ハンドライン術を活用して「幸運をつかむ手」をつくりましょう

「手のひらのシワが運命を表す」といわれていますが、この〈運命〉とは何を差すのでしょうか。

「宿命」と「運命」の違いは？

手相鑑定では、生年月日や遺伝子、生まれた環境などの**「自分の意志では決めることができない先天運」を〈宿命〉**と呼び、人生の分岐点などで進む道を**「自分の意志で決めることのできる後天運」を〈運命〉**と呼びます。〈宿命〉は一生変わることはないですが、〈運命〉は努力や行動などで変えることができるものなのです。

手のシワが変化する理由をお話ししましたが、このシワの変化こそがあなたの〈運命の足跡〉といえます。

ハンドライン術を活用して「幸運をつかむ手」を手に入れよう！

けれど、手のひらの線（シワ）はなかなか思い通りの変化をしてくれません。そこで「すぐにでも叶えたい願いがある」という人には「描く手相＝ハンドライン術」をすすめています。

願いや目的を達成した自分を思い描きながら線を描くことで脳がプラス思考をキャッチし、手のひらの気の流れが活性化して手相が変化し、「幸運をつかむ手」に変わっていきます。

この「手に線を描く」ことが「幸運を呼びよせるハンドライン術」です。ハンドライン術を効果的に活用するには、手相の基本を知ることが大切です。第二章で「手相の基本知識」を覚えましょう。

「手の出し方」でも、運気はアップ！ あなたの「手の出し方」は？

ふだん何げなく差し出している手ですが、この「手の出し方」にも運気アップのチャンスがあります。そのときの状況で「なりたい自分」を手に入れることができるはずです。

５本の指を開いた手の出し方

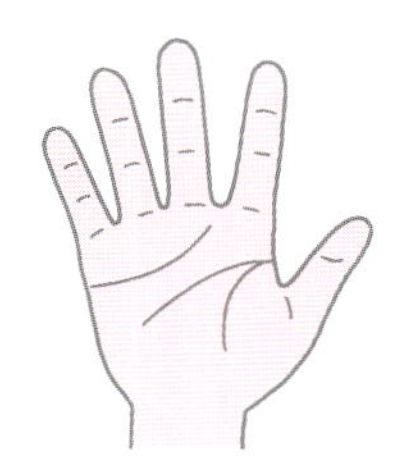

【心理状態】
元気で積極的な状態、自分を大きく見せたい願望も
【表面的な性格】
物事にこだわらず、好奇心旺盛でざっくばらんな性格

５本の指を閉じた手の出し方

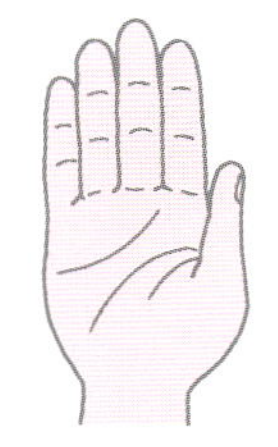

【心理状態】
失敗や変化を恐れて、慎重になっている状態
【表面的な性格】
冷静沈着、几帳面でおとなしく、冒険を好まない性格

親指だけ離れた手の出し方

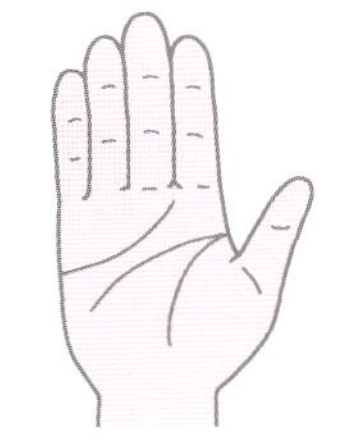

【心理状態】
落ち着いて公私ともに安定し、元気な状態
【表面的な性格】
行動的な面と冷静さを兼ね備えた、常識人で円満な性格

今、必要な心理状態にピッタリな「手の出し方」で運気アップを！

それぞれの「手の出し方」で心理状態のモチベーションをアップさせましょう。

「5本の指を開いた手の出し方」は、元気いっぱいで運やエネルギーを取り込む気が満々。元気になりたいときや気が滅入っているときには、おすすめです。

「親指だけ離れた手の出し方」は、取引先と会う場合など、落ち着いて対応したいときに試してみましょう。

ただし、**「5本の指を閉じた手の出し方」**は、手が萎縮して硬くなり、心理的にも自信がないことを現し、「幸運をつかむ手」とは逆の手になってしまうので、日ごろからこの出し方をしないように気をつけましょう。TPOに合わせてモチベーションを上げるときに「手の出し方」をぜひ意識してみてください。

第二章

手相の基本知識を覚えよう！

手相の基本知識で効果的に「ハンドライン術」を活用

手相の基本知識は「ハンドライン術」のベース

手相の基本知識を覚えることで、効果的な「線」を見極めることができます。また、基本知識を活用することで、現在の手相がわかり、さらに効果的な「ハンドライン術」を実践できます。

「手」が発信するさまざまな情報を読み解くのが「手相鑑定」

一般的に手相占いといえば、手のひらに現れる線を読み解くと考えがちですが、本来は「手全体」「手のひらの線」「手のひらの丘や平原」から発信されるさまざまな情報を読みとって鑑定します。

●「手全体」からの情報

「手そのものの形」からは本来の気質、「大きさ」からは精神的傾向や行動パターン、「厚み」からは性格や体力などの傾向の情報。

●「手のひらの線」からの情報

「四大基本線」からは、その人の基本的な性格や才能、各運勢などの情報。「四大本線」をサポートする財運線や結婚線などの「補助線」(P62コラム参照)からは運勢にかかわる情報。

●「手のひらの丘と平原」からの情報

9つの「丘」の肉づきやツヤ、色合いからは、運勢や個性、健康状態などの情報。「平原」からは運気のパワーの情報。

手相鑑定の開運方法のひとつ「ハンドライン術」

「手相鑑定」は、ただ占うことだけが目的ではありません。「よい結果なら、さらによく」「悪い結果なら、よい方向へ」と一歩前進させ、開運へと導くのが「手相鑑定」です。

手相は、日々変化しますが、運気をアップする線はなかなか思い通りには現れてはくれません。そこで、開運へと導く開運方法のひとつとして、手のひらに線を描く「ハンドライン術」をおすすめしています。

手相の基本知識を覚えて、あなたに合ったハンドラインを見極めよう

とはいえ、手当たり次第に線を描

いても開運には結びつきません。「ハンドライン術」を効果的に活用するポイントは、望む願いに合った線を見極めること。

手相の基本知識を活かせば、「実践！目的別ハンドライン術活用法」（P63～）であなたの願いに合ったハンドラインを見極めることができます。

さらに、ステップアップしたいなら、手相の基本知識を活かして「簡略！手相の見方」を実践。現在の自分の手相から、目的に合った線を見極めてオリジナルのハンドラインを見つけてみましょう。

「手相の基本知識」と
「手相の見方」で
オリジナルのハンド
ラインがみつければ、
さらに運気アップにゃ

簡略！手相の見方
《手相をみる手順》

本格的な手相鑑定ではありませんが、手相の基本知識を活用して「手」の情報からあなたの現在の手相をみてみましょう。

① まず、「手のタイプ」をみる
（P32～「手そのものからも情報を受け取ろう」参照）

「手の大きさ」「手の厚さ」「手の形」から性格や精神的傾向などの情報を受け取る。

② 次に、「手のひらのふくらみ（丘）」をみる
（P36～「手のひらの丘と平原の意味を知ろう」参照）

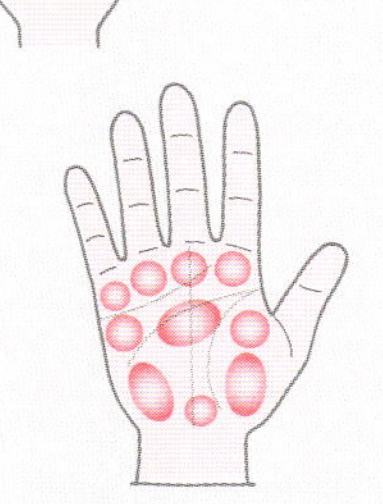

肉づきや色ツヤなどから「丘」の発達具合を見極めて運勢アップのパワーの情報を受け取る。

③ 最後に、「手のひらの四大基本線」をみる
（P48～「運命を引き寄せる！手の線の意味を知ろう」参照）

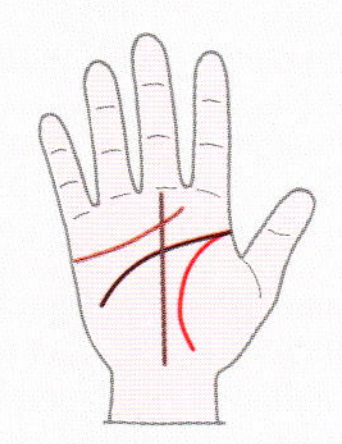

「四大基本線」の各線の「起点」「終点」「曲線」「線の濃さ」「長さ」「本数」などから運勢を表す情報を読み取る。

「手そのもの」からも情報を受け取ろう

「手」でわかる、性格や精神的傾向など

「手の大きさ・厚さ・形」などからも情報が得られます。ハンドラインを描く前に、まずあなた自身の手から得られる情報を受け取ってみましょう。

手の「大きさ・厚み・形」から情報を受け取ろう

「手」そのものから「現在の自分自身」を知ろう

手相鑑定は「手の線をみるもの」と思っている人が多いようですが、実は差し出された「手」そのものからいろいろな情報を得ています。

ここでは**性格や精神的な傾向などを知ることができる「手の大きさ」や「手の厚み」、「手の形」**をご紹介します。その他にも「手の出し方」（コラムP28参照）で現在の心理状態や性格を読み解くこともできます。

「手の大きさ・厚さ・形」から今の性格や精神傾向などを知ろう

「手の大きさ」で、あなたの精神的な傾向や行動パターンを知ることができます。**「手の厚さ」**からは、あなたの性格や体力の傾向を知ることができ、そこから適職も知ることができます。**「手の形」**からは、あなたが持っている本来の気質を知ることができます。「手の形」では2種類以上の特徴がある人は、何ごともそつなくこなす人が多いようです。

あなたの手から受け取った情報を参考に、自分の性格などを知って「今なりたい自分」そして「叶えたい望み」にピッタリのハンドラインを選ぶ参考にしましょう。

手はたくさんの情報を発信してるニャ。
あなたの手が発信している情報をみると
知らない自分が見えてくるかも…

手の大きさ 精神的傾向・行動パターン

「手の大きさ」は、他の人と比較した手の大きさではなく、あなたの体の大きさから比較して手が大きいか、手が小さいかをみていきます。

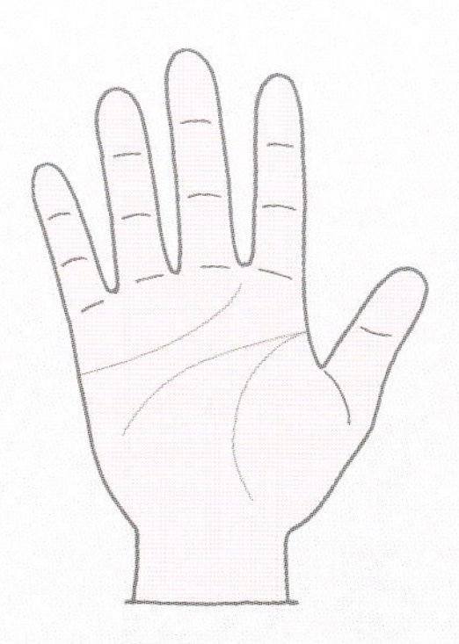

大きな手

【精神的傾向】
内向的で落ち着きがあり、堅実さと緻密さを持つ。根気があり、器用。

【行動パターン】
人の上に立つのは苦手で、与えられた役割をきっちりこなすタイプ。細かい作業も得意。

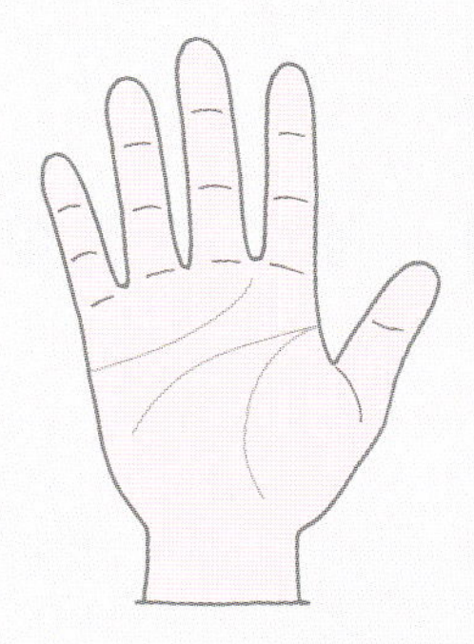

普通の手の大きさ

【精神的傾向】
常識的で協調性があり、適応能力に富み、人並みであることに安心感を持つタイプ。クヨクヨ悩みがちな傾向も。

【行動パターン】
細かい作業が得意。与えられた仕事はきっちりとこなす。

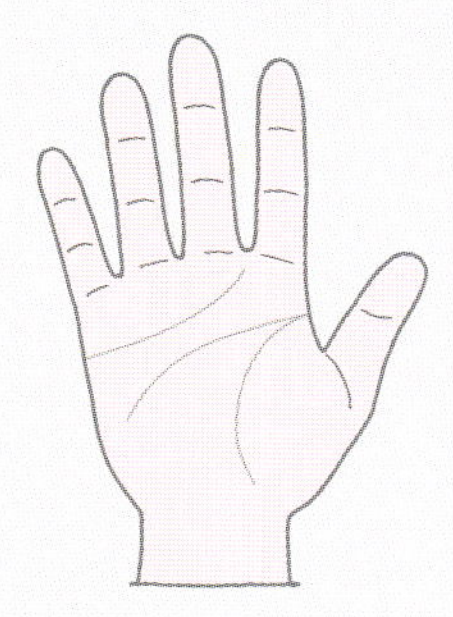

小さい手

【精神的傾向】
大ざっぱで外向的、頭の回転は速いが少々せっかちなタイプ。

【行動パターン】
好奇心旺盛で、思い立ったらすぐ実行。人生をドラマ化して自己演出する傾向あり。

手の厚さ　性格・体力・適職

「手の厚さ」は、肉づきのことを指します。ふっくらして肉づきがよいと「肉厚」、平べったく肉づきが薄いと「肉薄」と考えます。

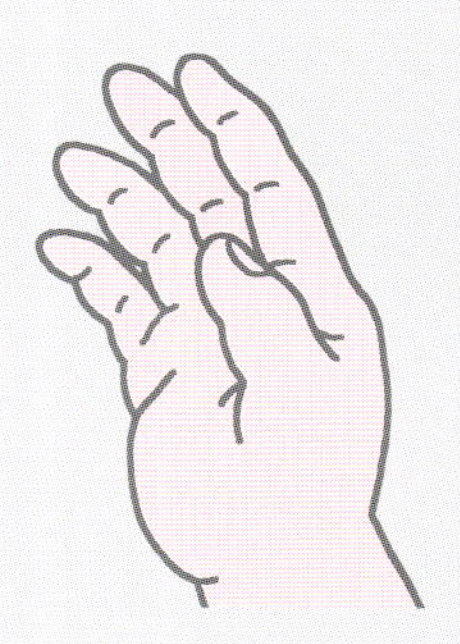

肉厚で弾力のある手

【性格】
くよくよしないエネルギッシュな性格。
【体力】
体力、気力とも充実。ハードな仕事もらくらくこなせるタイプ。
【適職】
接客、芸能、スポーツ関係。

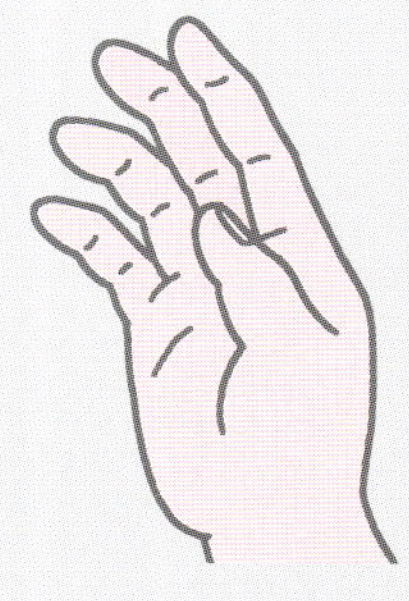

肉厚で弾力のない手

【性格】
太っている人に多く、おおらかで、明るい性格。
【体力】
体力や気力が欠如しやすいので、意識して気力をアップ。
【適職】
人を楽しませる芸能関係、サービス業関係。

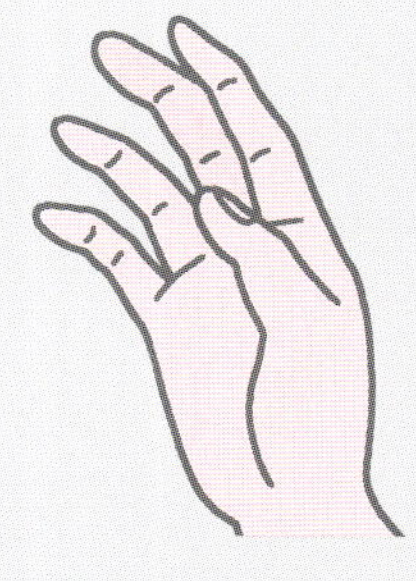

肉薄で手のひらが扁平な手

【性格】
消極的で自分の殻に閉じこもりがちな性格。
【体力】
体力、気力とも乏しいので、体力アップを。
【適職】
企画や事務など、頭脳労働に向くタイプ。

手の形 本来の気質

「手の形」は、大まかに6種類に分けられます。2種類以上の特徴を持つことも少なくありません。「あなたの手」は、どの形ですか？

指先が丸みをおび、指先が細いふっくらした 円錐型

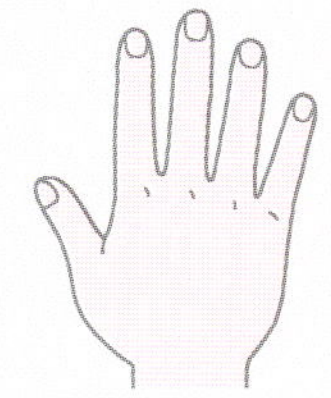

【本来の気質】
感受性や芸術性に優れ、社交的で好奇心旺盛。自由を好み、ルールに縛られるのは苦手。

指先がスッとした、白魚のような 尖頭型

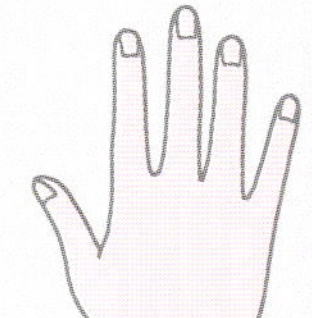

【本来の気質】
ロマンティストで繊細。やや依存心が強く、わがままになりやすい傾向も。

指先がへらのように少し広がっている へら型

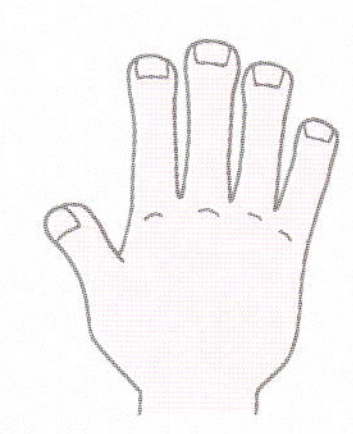

【本来の気質】
働き者で個性が強く、創造性豊かなタイプ。独立心も旺盛な個性派。

指や手が大きく、間接がしっかりとした 結節型

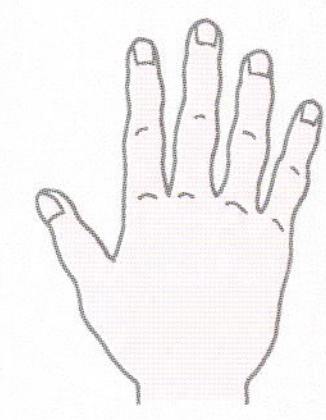

【本来の気質】
別名・哲学思想型と呼ばれ、真面目に人生を追求する無口で知的雰囲気が漂うタイプ。

指が太く、肉付きのよいずんぐりとした 素朴型

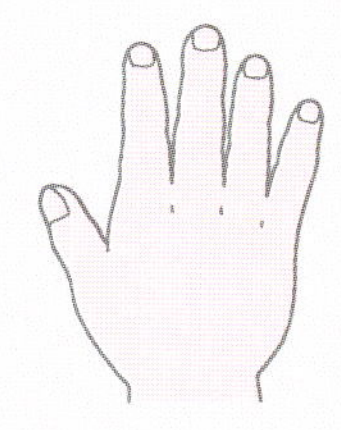

【本来の気質】
楽天的で細かいことは気にしないが粘り強いタイプ。やりとげる努力家の面も。

指が短く、四角ばった 四角型

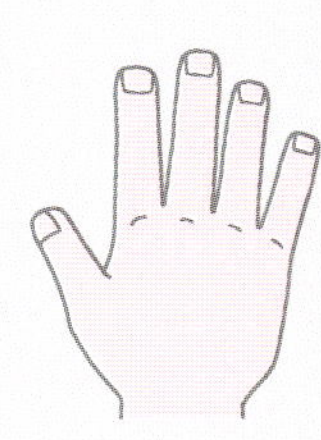

【本来の気質】
常識的、意志も強く、頼りになるタイプ。保守的すぎて面白みに欠ける面も。

手のひらの「丘」と「平原」の意味を知ろう

9つの「丘」と1つの「平原」

手のひらには、9つの「丘」と1つの「平原」があります。それぞれの「丘」は運気のパワーを蓄える場所といわれ、「平原」は丘のパワーの中継点だといわれています。

手のひらの「丘」と「平原」は、運気を上げる重要な場所

四大基本線などの線や運勢に影響を与える「丘」と「平原」

手相鑑定を行うときに、「線」のほかに重要とされているのが、手のひらの**「丘」**と**「平原」**です。

「丘」は、指のつけ根の盛り上がった部分のことをいい、丘のパワーを表すギリシャ神話の神々の名前がつけられています。「平原」は手のひらの中央にあるくぼみの部分。「丘」と「平原」は、それぞれの膨らみ方によって四大基本線やその他の線に影響を与え、運気にもかかわっています。

また、「丘」は、肉づきの具合や色、ツヤなどから運勢、個性、健康状態などの情報を発信しています。肉づきがよく、盛り上がっている状態を「発達している」と表現します。

「丘」は、運気のパワーの貯蔵庫「平原」は、丘のパワーの中継地

手相では、パワーや運気は指から受け取り、指先から手のひら、そして手首へと流れていくとイメージします。指から入ってきたパワーや運気を貯める場所が「丘」です。つまり、「丘」は、〈パワーや運気の貯蔵庫〉といえます。

また、手のひらの中央にある「平原」は、周囲の丘のパワーや運気を中継する〈中継地〉といわれています。

それぞれの丘や平原の肉づきや血行がよく、色ツヤがよく、パワーや運気がアップしている状態を維持するために「丘のストレッチ」（P22・23）を行って、運気をアップさせていきましょう。

ハンドラインをパワーアップさせる「丘」と「平原」を覚えよう

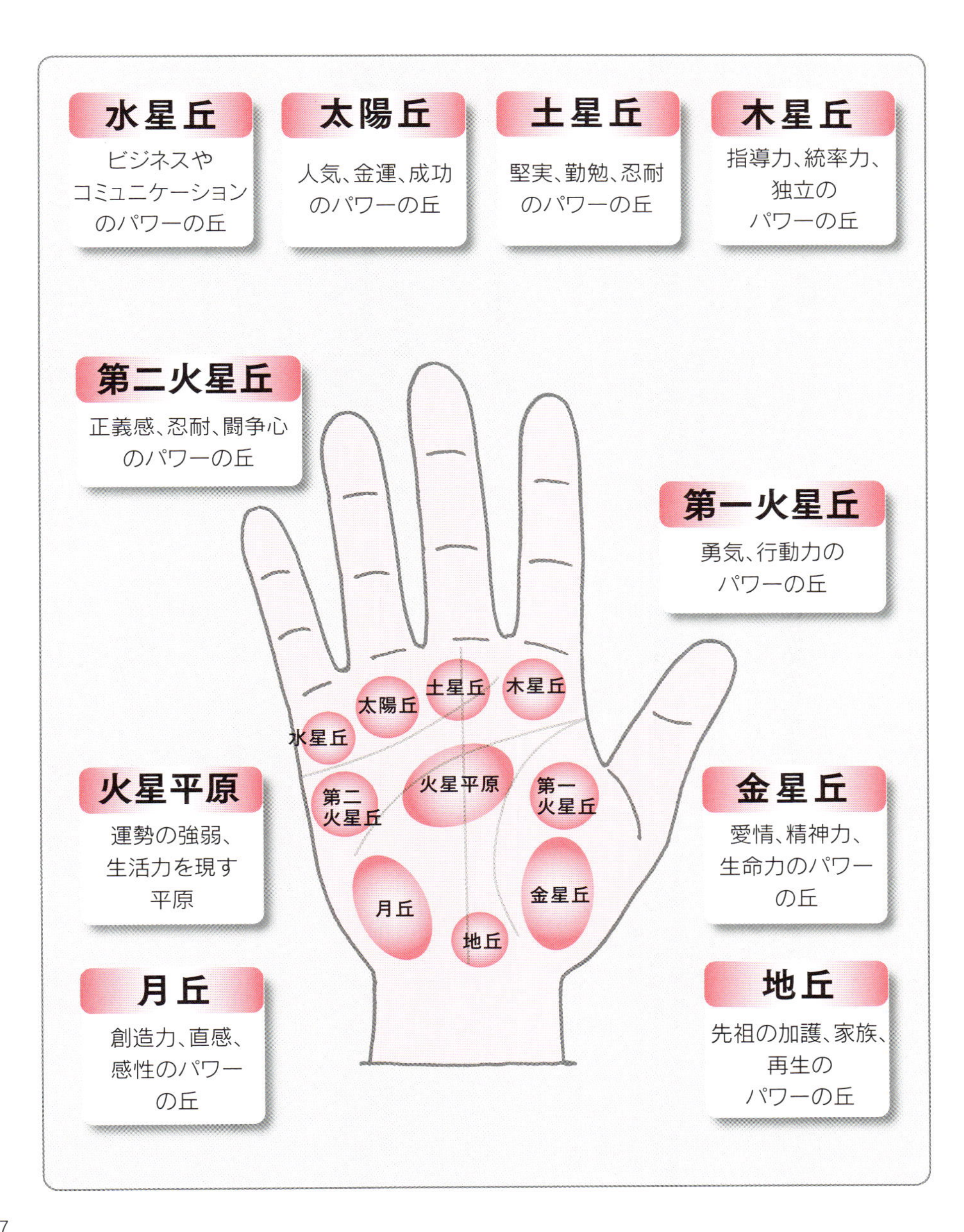

商才やコミュニケーション能力を発揮して幸運を呼び寄せる「水星丘」

お金と伝達の商人の神「マーキュリー」が司る水星丘

「水星丘」は、商売やビジネスの才能、それに必要なコミュニケーション能力の丘です。別名「商売の丘」と呼ばれています。

水星丘を司る神は、お金と伝達の神**「マーキュリー」**であるため、商売やお金、交渉にかかわるエネルギーが蓄えられます。発達している場合は、「頭の回転が早い」というのも特徴です。

「人づきあいが苦手」「ビジネスセンスを磨きたい」「商売を成功させたい」という人は、水星丘周辺のストレッチを行って、丘のパワーをアップさせましょう。

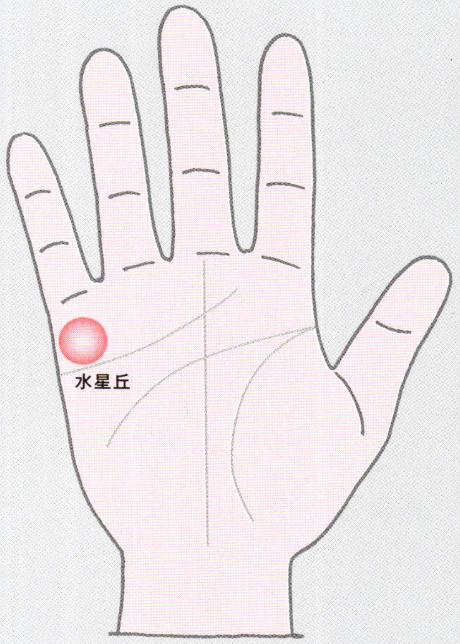

位置

小指のつけ根の下にある丘

発達

社交的でビジネスセンスに長け、財運に恵まれる

超発達

お金への執着が強く、打算的な傾向に

未発達

人づき合いが苦手で、金運も弱め

影響を与える線

知能線　感情線　財運線　結婚線

影響を与える運勢

仕事運　金運　恋愛運　結婚運

人気と成功、金運を手にして幸せをつかむ「太陽丘」

人気、成功、財の太陽神「アポロン」が司る太陽丘

「太陽丘」は、人気、成功、そして満ち足りた幸福感をつかむ丘であり、豊かな創造をもたらす丘です。別名「成功の丘」と呼ばれています。

太陽丘の神は、人気と芸術の神**「アポロン」**。人気と豊かな表現力、成功、財などのエネルギーが蓄えられます。

人から注目され、周囲に人が集まってきて成功し、財産を生みだしていくというのが、この丘です。「人の注目を集めたい」「お金を生む才能が欲しい」など、そんなときは太陽丘周辺のストレッチで運気を呼び寄せましょう。

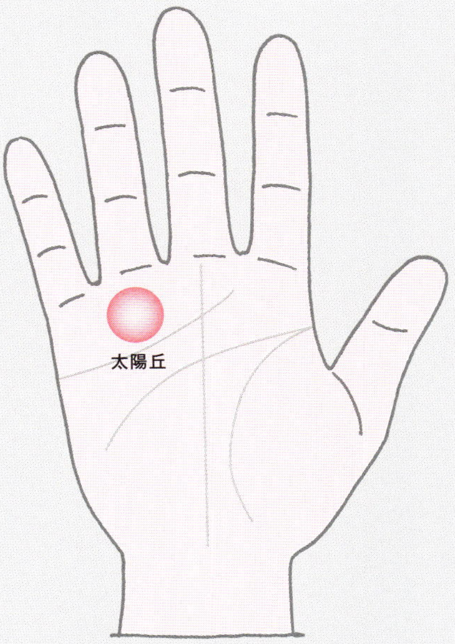

太陽丘

位置

薬指のつけ根の下にある丘

発達

魅力的で華やかな人気や名声、クリエイティブな才能で成功を呼び寄せる

超発達

見栄っ張りで、虚栄心が強い傾向に

未発達

薄幸で人望が薄く、不平不満が多い傾向に

影響を与える線

太陽線　結婚線

影響を与える運勢

仕事運　金運　恋愛運　結婚運

勤勉さ、堅実な行動、忍耐強さで成功を呼び寄せる「土星丘」

努力と勤勉の神「サターン」が司る土星丘

「土星丘」は、真面目さ、誠実さ、忍耐力、持久力、思慮深さ、旺盛な探求心などを表す丘で、別名「勤勉の丘」と呼ばれています。

土星丘の神は、農業神**「サターン」**で、勤勉さや努力にかかわるエネルギーを蓄えます。「強い責任感で忍耐強く努力し、成功させる」ことを表します。

「コツコツと努力したい」「ひとつのジャンルを極める」ことを目指す人は、ぜひ注目してもらいたい丘です。土星丘周辺のストレッチでエネルギーを引き出しましょう。

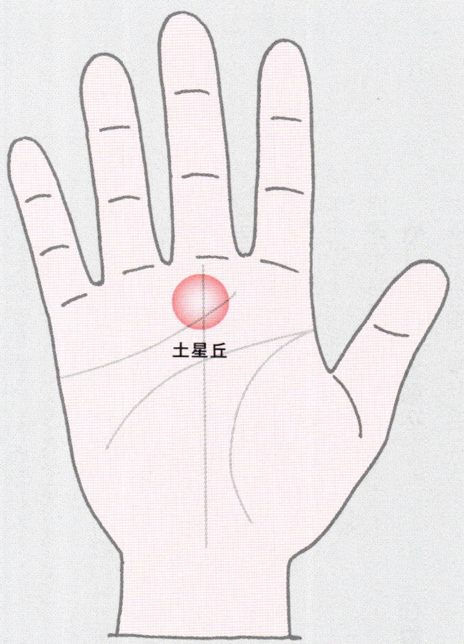

位置

中指のつけ根の下にある丘

発達

研究熱心で真面目、物ごとを思慮深くとらえて対処する

超発達

物ごとを慎重にとらえ過ぎる傾向があり、非社交的になる傾向に

未発達

飽きっぽく努力が嫌い、何ごとも中途半端な傾向に

影響を与える線

運命線　感情線

影響を与える運勢

金運　仕事運

向上心と優れた統率力を発揮して幸運を手に入れる「木星丘」

権力と支配、独立心の神「ゼウス」が司る木星丘

「木星丘」は、名誉、独立、支配力、統率力などにかかわる丘です。別名「向上心の丘」とも呼ばれています。

木星丘は、全能の神**「ゼウス」**が司る丘です。この丘には「人の上に立って活躍したい」、あるいは「上を目指したい」など、目標達成に必要な自信や管理能力、支配欲や独立心にかかわるエネルギーが蓄えられます。

向上心を持って、何かの願いや目標に向かっているとき、仕事でリーダーになったときなど、木星丘周辺のストレッチを行って運気をアップさせましょう。

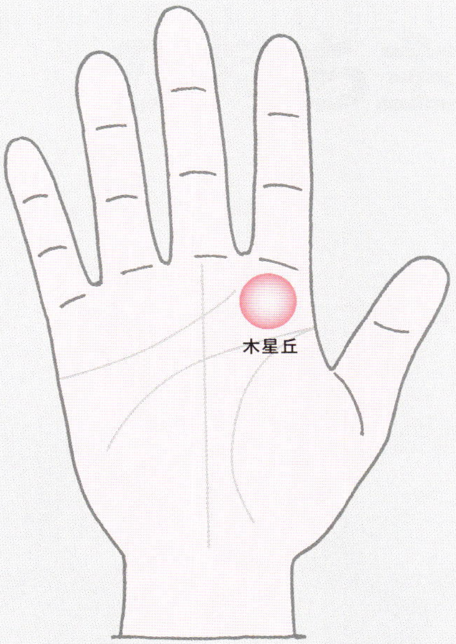

木星丘

位置

人差し指のつけ根にある丘

発達

向上心があり、意欲的なリーダー、自力で運命を切り開く

超発達

自己顕示欲が強く、独善的な傾向に

未発達

消極的で、意志薄弱で依存性傾向に

影響を与える線

感情線

影響を与える運勢

健康運　恋愛運

初志貫徹の忍耐力と正義感で自らを鼓舞して開運「第二火星丘」

忍耐と正義感、闘いの神「マルス」が司る第二火星丘

「第二火星丘」は、忍耐、自制心、意志力などにかかわる丘です。別名「正義感の丘」とも呼ばれています。

第二火星丘は、自己との闘いの神**「マルス」**が司る丘。忍耐や意志力、自制心など、自己の心との闘いにかかわるエネルギーが蓄えられます。そのため、ブレない思考、初志貫徹での成功をもたらします。また、内面の闘争心が正義感のパワーをもたらします。

第二火星丘周辺のストレッチを行って、意志を貫く強い精神力を手に入れましょう。

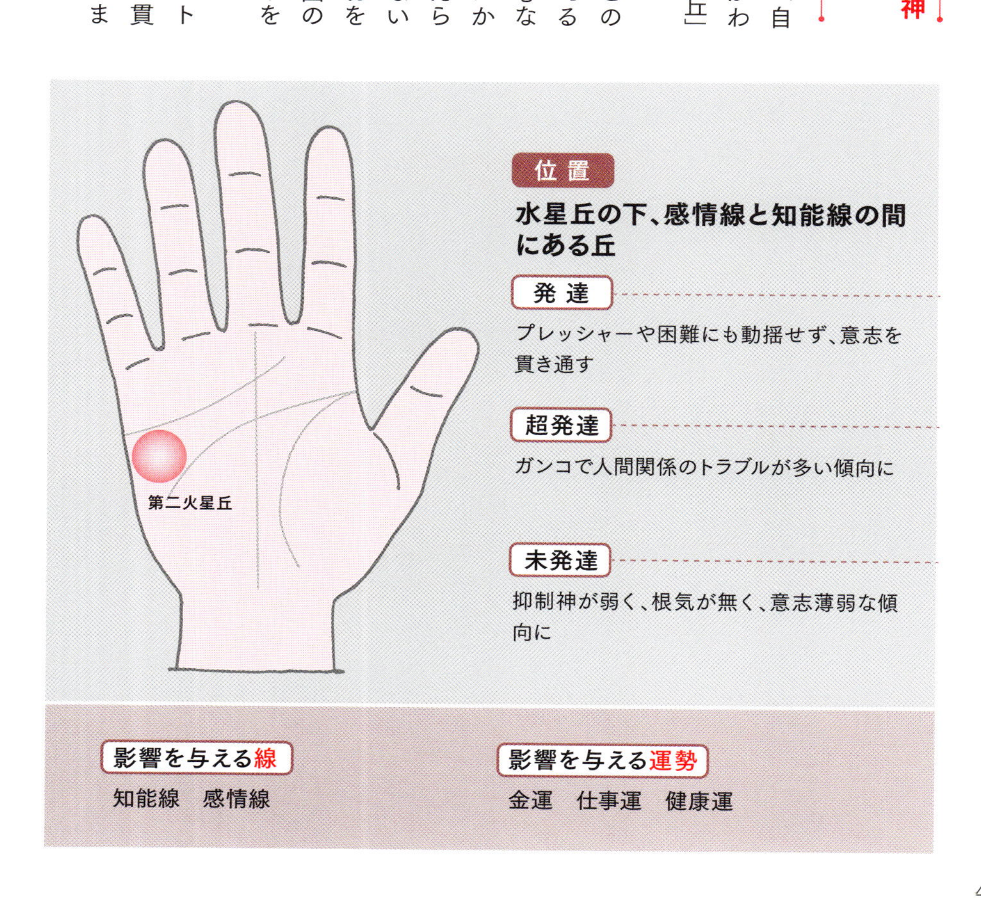

位置

水星丘の下、感情線と知能線の間にある丘

発達

プレッシャーや困難にも動揺せず、意志を貫き通す

超発達

ガンコで人間関係のトラブルが多い傾向に

未発達

抑制神が弱く、根気が無く、意志薄弱な傾向に

影響を与える線

知能線　感情線

影響を与える運勢

金運　仕事運　健康運

9つの丘のパワーの中継点であり運勢の強弱を示す「火星平原」

丘のパワーの中継場所「火星平原」

手のひらの線を各丘のパワーを運ぶ川に例えると、その川が交差し、集中しているのが**「火星平原」**です。

火星平原は、自我の強さや生活力を表し、その役割は**丘のパワーを手首へと流す〈中継点〉**になります。また、火星平原は運命線とのかかわりが深く運勢の強弱を表し、火星平原を運命線が通ると、運気が上昇するといわれています。

火星平原周辺には、活力をアップするツボがあり、ストレッチを行って、運勢のパワーをアップさせましょう。

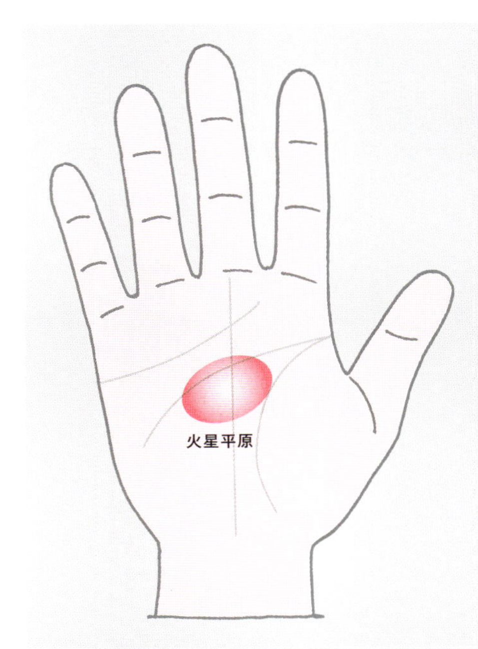

位置

手のひらの中央にあるくぼみ部分

くぼみが浅い

少しくぼんでいる理想の状態で、生活力もバランスよく安定する

くぼみが深い

温厚で人と争う気持ちが少なく、性格力が乏しい傾向に

くぼみが膨らんでいる

自我が強く、大変攻撃的だが、生活力は旺盛な傾向に

影響を与える線

生命線　知能線　感情線　運命線

影響を与える運勢

金運　仕事運　健康運　恋愛運

勇気、積極性、行動力など、攻めの姿勢で運気上昇「第一火星丘」

勇気と行動力、闘いの神「マルス」が司る第一火星丘

「第一火星丘」は、勇気、闘争心、強い意志、行動力などにかかわる丘です。別名「積極性の丘」と呼ばれています。

第一火星丘は、闘いの神**「マルス」**が司る丘。第二火星丘も同じ神ですが、ここでは〈他者との闘い〉を表します。勇気、積極性、前に進もうとする力、他者との闘いにかかわるエネルギーが蓄えられます。

初めての分野にも果敢に挑んでいく姿勢、競争を勝ち抜く力をもたらします。新しいチャレンジなどでは、第一火星丘周辺のストレッチを行いましょう。

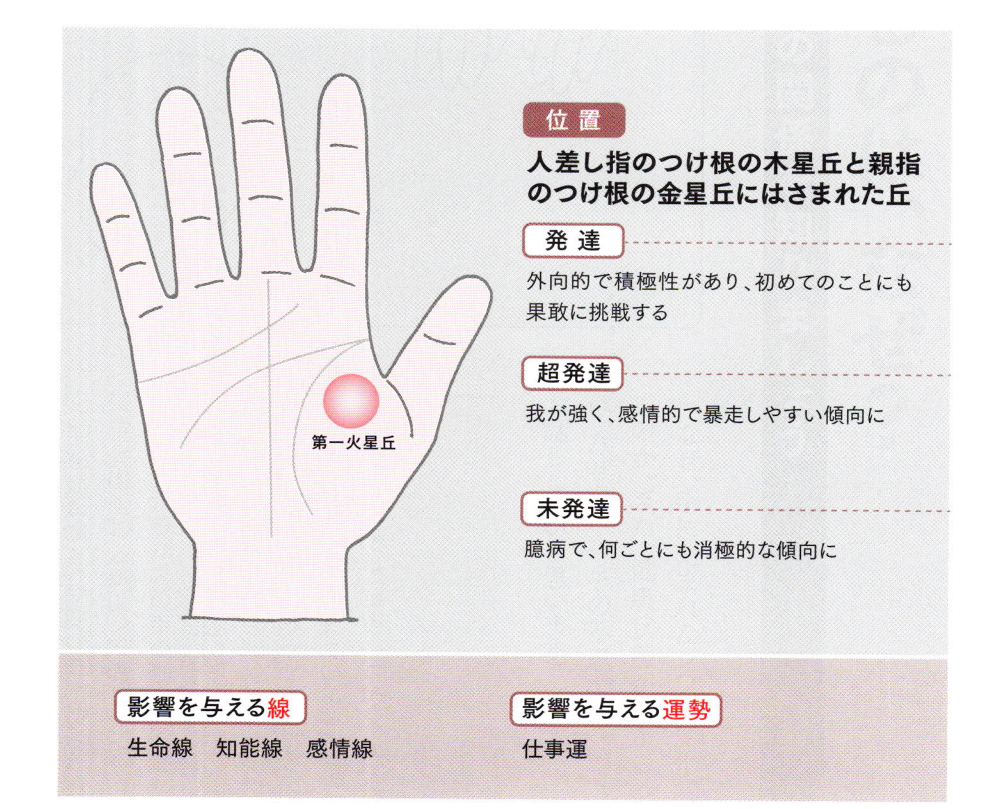

位置

人差し指のつけ根の木星丘と親指のつけ根の金星丘にはさまれた丘

発達

外向的で積極性があり、初めてのことにも果敢に挑戦する

超発達

我が強く、感情的で暴走しやすい傾向に

未発達

臆病で、何ごとにも消極的な傾向に

影響を与える線

生命線　知能線　感情線

影響を与える運勢

仕事運

創造力、直感、感性の豊かさで運気をアップさせる「月丘」

創造力と直感、ロマンの神「ダイアナ」が司る月丘

「月丘」は、創造性、美的感覚、無意識や直感、ロマンなどを表す丘で、別名「神秘の丘」と呼ばれています。

月丘の神は、ロマンと芸術を司る月の神**「ダイアナ」**で、イマジネーションや創造力にかかわるエネルギーを蓄えます。人の気持ちを察知するようなインスピレーションや直感の才能も特徴のひとつです。

「クリエイティブな仕事を目指したい」「魅力をアップしたい」人は、ぜひ月丘周辺のストレッチをして、エネルギーを引き出しましょう。

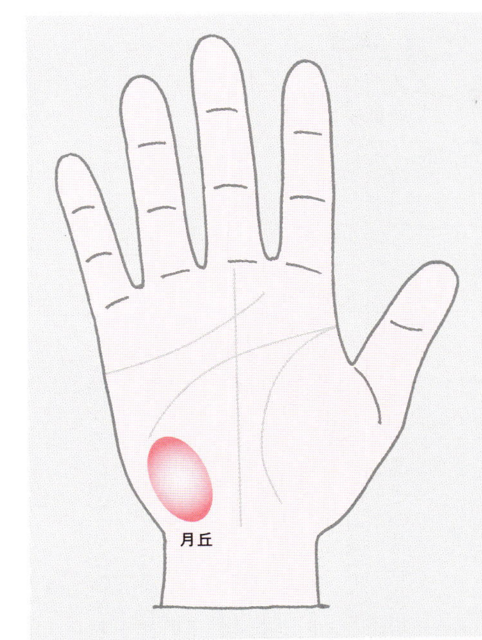

位置

第二火星丘の下、手首のすぐ上にある丘

発達

創造性豊かで芸術的なセンスに恵まれ、魅力的で人気者

超発達

空想癖があり、利己的な面が強い傾向に

未発達

発想力が乏しい傾向があり、実務向き

影響を与える線

知能線　運命線

影響を与える運勢

仕事運　恋愛運

先祖、家族の加護で家庭運をアップさせる「地丘」

すべての根源である大地の神「ガイア」が司る地丘

「地丘」は、先祖の加護、家族、変化再生、不可能を可能にする力などを表す丘です。別名「家庭の丘」とも呼ばれています。

地丘の神は、大地の神「**ガイア**」。その冠の通り、その人の基礎になる先祖の加護、家族から得るエネルギーを蓄えます。発達していると家族との絆が深く、肉体を含めた先祖からの加護を受け継ぐことを表します。

「良好な家族関係」や「家庭を築くこと」を考えている人は、地丘周辺のストレッチをして、大地のエネルギーを引き出しましょう。

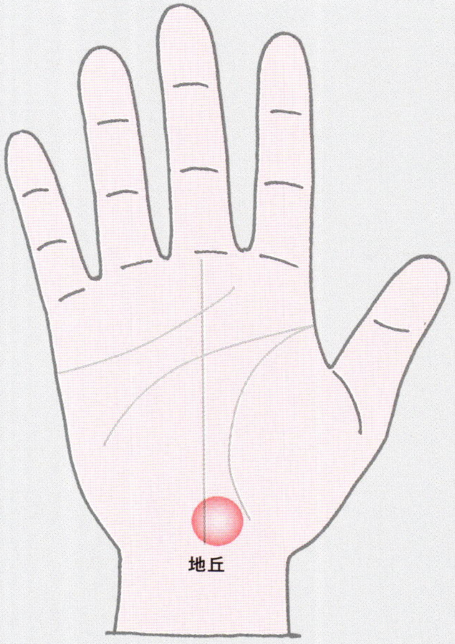

地丘

位置

月丘と金星丘の間、手首の中央にある丘

発達

豊かな家庭で育ち、素直で先祖の加護があり、直感力が優れている

超発達

感謝の思いが薄く、わがままで自己中心的な傾向に

未発達

家族との縁や先祖の加護などが希薄、気力・体力とも衰え気味で消極的

影響を与える線

生命線　運命線

影響を与える運勢

仕事運　健康運　結婚運

生命力や精神面の強さを発揮して運気をアップさせる「金星丘」

生命力、愛情の神「ヴィーナス」が司る金星丘

「金星丘」は、健康、体力、バイタリティ、愛情などを表す丘で、別名「愛情の丘」と呼ばれています。

金星丘の神は、生命力の神**「ヴィーナス」**。生命力やタフさ、愛情にかかわるエネルギーを蓄えます。「肉体的、精神的にも生命力に溢れている」ことを表します。また、人間の本能エネルギーも旺盛です。

「恋愛運のアップ」「健康に過ごしたい」「タフさ、精神的強さを手に入れたい」人は、ぜひ金星丘周辺のストレッチを行ってください。

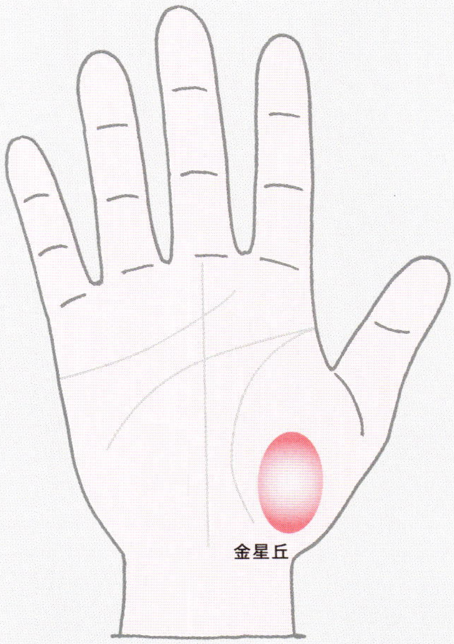

金星丘

位置

親指のつけ根、第一火星丘の下にある丘

発達

エネルギッシュで健康、活力に満ち、性的な魅力もある

超発達

自信過剰気味で、性的な欲望が強く多情の傾向も

未発達

体力がなく、異性も含め何ごとに対しても消極的な傾向に

影響を与える線

生命線　運命線

影響を与える運勢

金運　仕事運　健康運　恋愛運　結婚運

運命を引き寄せる「手の線」の意味を知ろう

「四大基本線」を覚えておこう

手に刻まれている線にどんな意味があるのかを知っておきましょう。基本となる「四大基本線」の意味や役割をご紹介します。

幸運をつかむ〈ハンドライン術〉で重要な役割を担う「四大基本線」

「四大基本線」って、どんな線？

手のひらには、長さ、深さ（強弱）などの違う線が６００本以上刻まれています。

その中で、はっきりと目立つ**「生命線」「知能線」「感情線」**、そして**「運命線」**を加えた４本の線があります。この４本の線は**「四大基本線」**といい、手相を鑑定するうえで最も重要な線とされています。

手相鑑定では、この「四大基本線」を読み解き、性格や才能、各運勢などを鑑定していきます。同様に〈ハンドライン術〉でも、「四大基本線」は「なりたい自分」を手に入れる、あるいは「運気をアップさせる」ための重要な役割を果たします。

「四大基本線」の役割を知って〈ハンドライン術〉に活用しよう

まず、手のひらを注意深く見てみましょう。「生命線」「知能線」「感情線」は容易に見つけられるはずです。しかし、「運命線」がはっきりしない、線がない人もいるはず。運命線は、環境や感情の変化で変わり続ける線なので、なくても問題はありません。

お金や人生の成功、人生での幸福度などは「生命線」「運命線」がかかわり、才能や能力、適職などは「知能線」、性格や愛情などは「感情線」がかかわっています。

〈ハンドライン術〉を活用して、さまざまな表情の「四大基本線」を手のひらに描き、あなたの運気を上昇気流に乗せていきましょう。

すべての運気にかかわる「四大基本線」を覚えよう

運命線
過去・現在・未来の運勢などがわかる

感情線
内面的な性格や愛情などがわかる

知能線
才能や能力、思考傾向などがわかる

生命線
健康、バイタリティなどの生命力がわかる

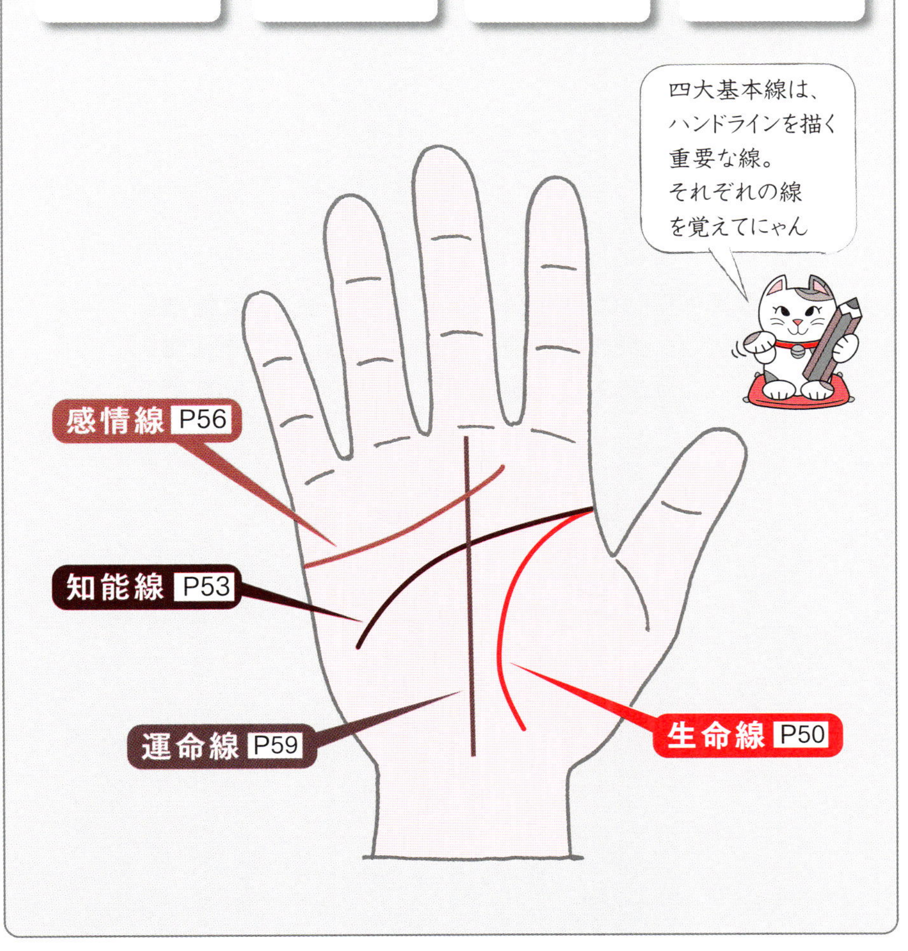

健康、バイタリティなどの生命力を手に入れる

生命線

「生命力」を表す線で、健康状態やスタミナ、バイタリティ、精神力、心身の強弱などの体の状態などを表します。

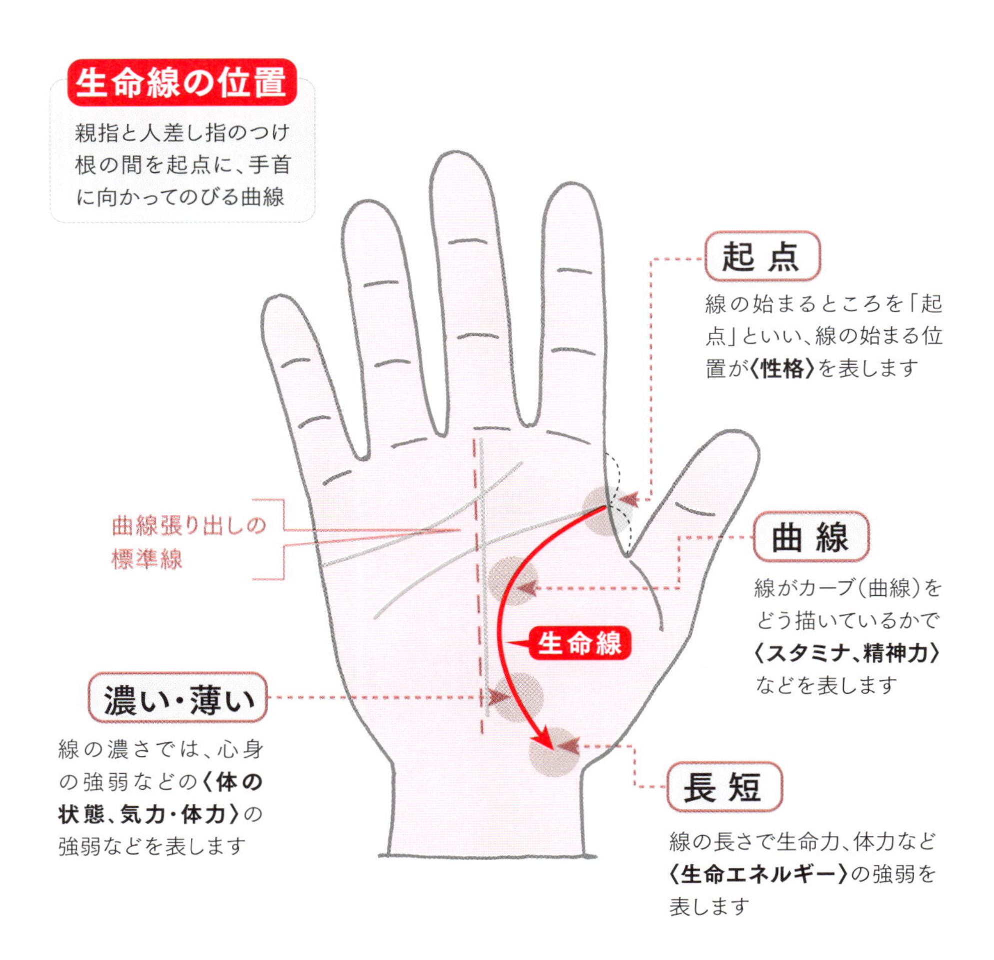

生命線の位置
親指と人差し指のつけ根の間を起点に、手首に向かってのびる曲線
起点
線の始まるところを「起点」といい、線の始まる位置が〈性格〉を表します
曲線張り出しの標準線
曲線
線がカーブ(曲線)をどう描いているかで〈スタミナ、精神力〉などを表します
生命線
濃い・薄い
線の濃さでは、心身の強弱などの〈体の状態、気力・体力〉の強弱などを表します
長短
線の長さで生命力、体力など〈生命エネルギー〉の強弱を表します

生命線で「幸運をつかむ手」をつくるポイント

「生命線」を長く、濃く、はっきりと描くことで気力や体力、生命エネルギーがアップします。ハンドラインを描くときのポイントを覚えて、運を切り開きましょう。

※図は【標準の位置】です

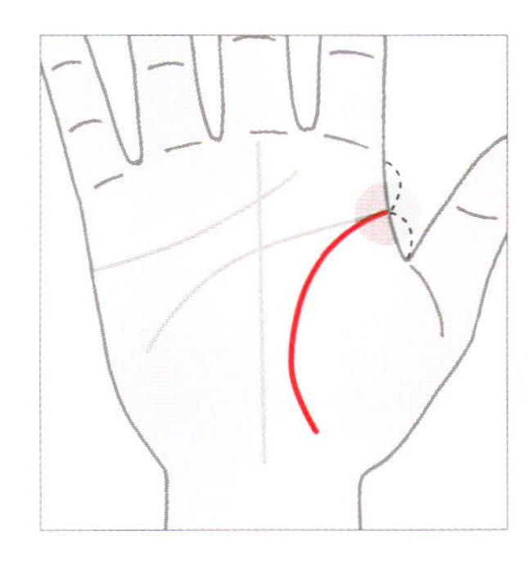

起点　なりたい性格になる

【標準の位置】

親指と人差し指のつけ根との真ん中

【起点のポイント】

「標準」は、穏やかで協調性のある性格。「標準より上」は自己顕示欲が強く積極的な性格。「標準より下」は慎重過ぎる性格に。

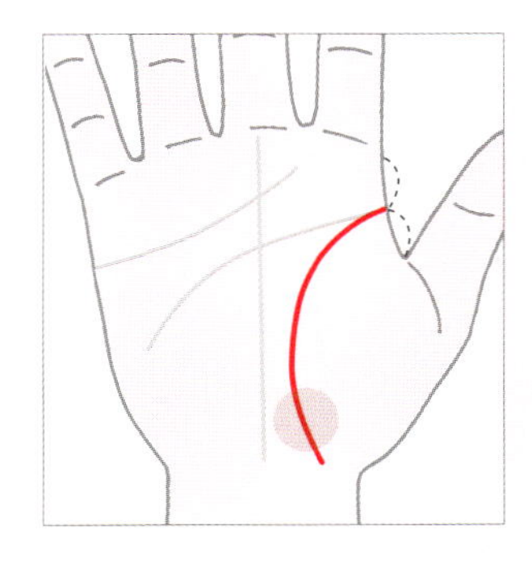

長短　強い生命エネルギーを手に入れる

【標準の長さ】

手のひらの半分から手首のつけ根の手前まで

【長短のポイント】

「標準」は、体力、生命力が平均的。手首のつけ根までのびる「長い線」は、生命力が充実して健康長寿。手のひらの半分ほどの「短い線」は、生命力が弱く虚弱体質の場合も。

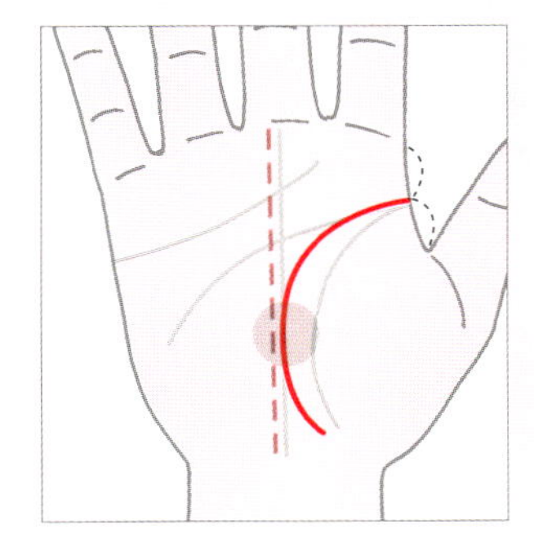

曲線　体力、精神力、積極性を手に入れる

【標準の曲線の張り出し】

中指から伸ばした標準線あたりに張り出す

【曲線のポイント】

「標準」は、スタミナ、体力、精神力とも充実。「標準線を大きく超える線」は、限界まで頑張れるタフさを持つ。「張り出しが極端に少ない直線に近い線」は、消極的で体調を崩しやすいタイプ。

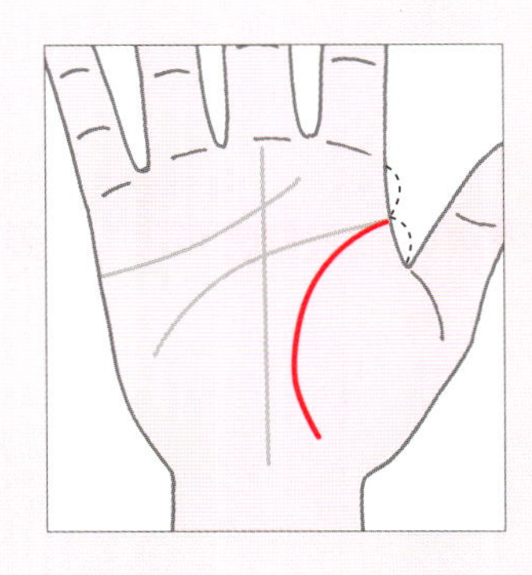

濃い・薄い　健康体質を手に入れる

【標準の濃さ・薄さ】
手を開いたときに一目で線がわかるくらいの濃さ
【濃さのポイント】
「標準」は、心身とも健康な状態。「濃い線」は、体力、精神力が強く、免疫力や抵抗力が高く、エネルギッシュ。「薄い線」は、気力、体力が低下気味。

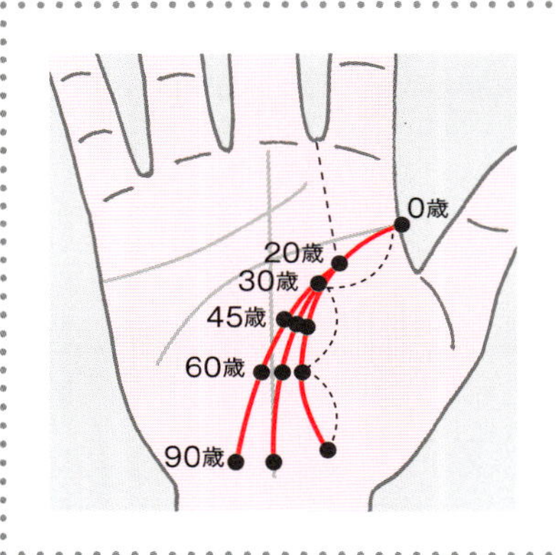

生命線の年齢の目安

生命線の年齢では、健康状態、環境や運気の変化の起こる時期をみます。ハンドライン術では、目標とする年齢を確認したり、線を描く目安にします。

年齢は起点が0歳、人差し指と中指の間から生命線に向かっておろした線の 位置が20歳、三等分した1/3が30歳、生命線の真ん中が45歳、三等分した 2/3が60歳、手首のつけ根が90歳を現します。

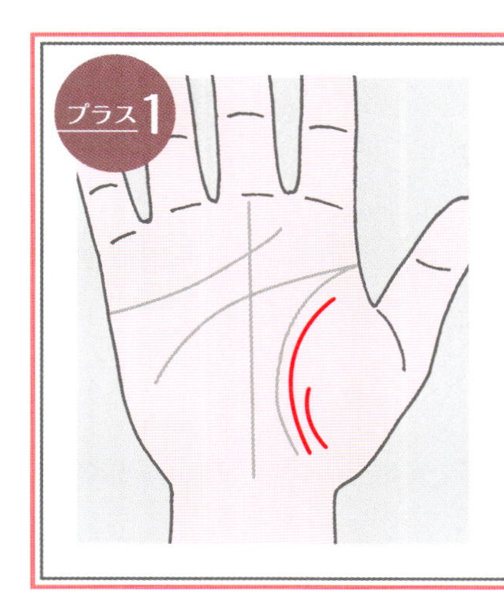

ラッキーライン！「副生命線」と「二重生命線」

生命線の内側にそってのびる線を「副生命線」といい、2本ある状態を「二重生命線」と呼びます。「副生命線」は、本線の弱い部分を補ってパワーアップさせる線です。

長い副生命線は生涯人並み以上の生命力を持ち、短い場合は一時的に生命力が強化されることを表します。外側の副生命線は、パワーが強いラッキーラインです。線の現れる位置で、その時期（年齢）がわかります（「生命線 年齢の目安」参照）。

自分に必要な思考傾向、才能や能力などを手に入れる

知能線

「知能線」は思考力や能力、才能などを表す線です。性格や適職なども表すといわれています。

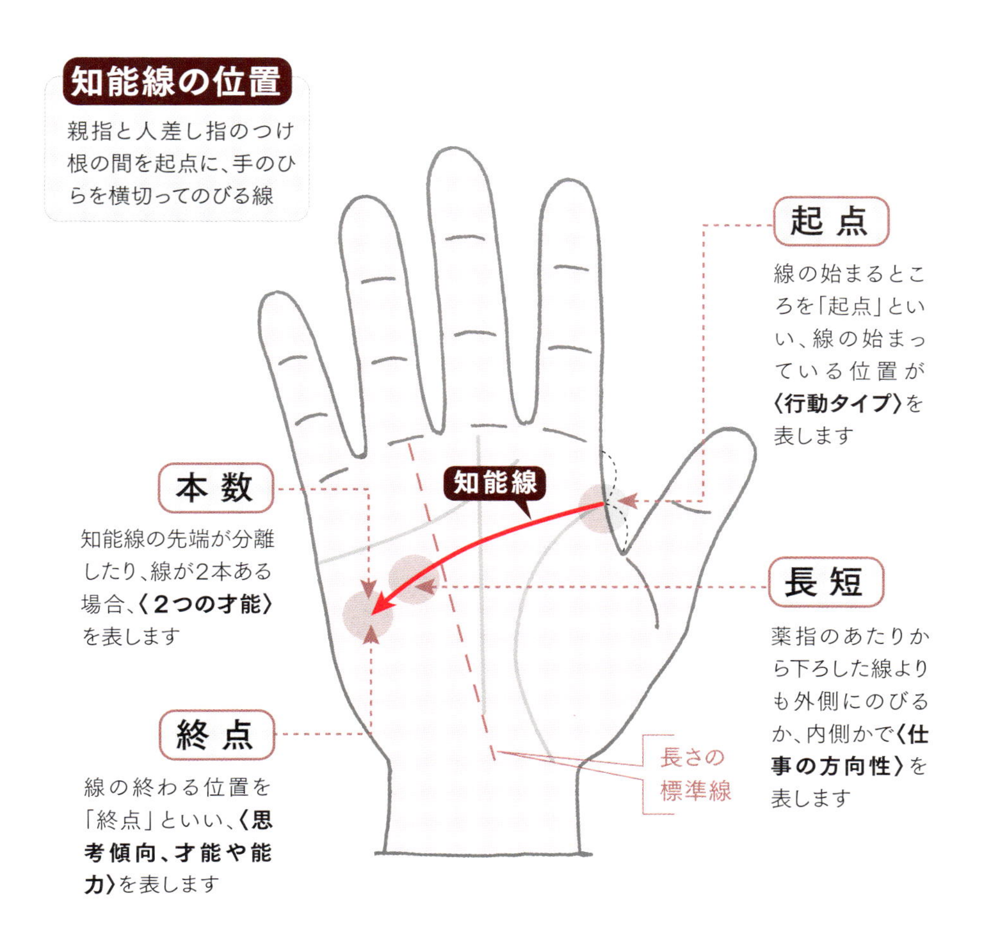

知能線の位置
親指と人差し指のつけ根の間を起点に、手のひらを横切ってのびる線
起点
線の始まるところを「起点」といい、線の始まっている位置が〈行動タイプ〉を表します
知能線
本数
知能線の先端が分離したり、線が2本ある場合、〈2つの才能〉を表します
長短
薬指のあたりから下ろした線よりも外側にのびるか、内側かで〈仕事の方向性〉を表します
終点
線の終わる位置を「終点」といい、〈思考傾向、才能や能力〉を表します
長さの標準線

知能線で「幸運をつかむ手」をつくるポイント

「知能線」は、手に入れたい才能や能力、思考傾向などでハンドラインの描き方が変わります。なりたい自分を具体的に思い描いて、線を描きましょう。
※図は【標準の位置】です

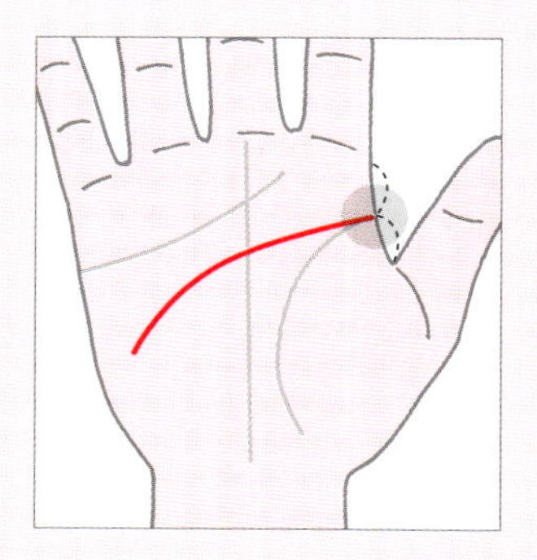

起点　行動力を手に入れる

【標準の位置】
親指と人差し指のつけ根の真ん中で生命線と重なる

【起点のポイント】
「標準」は、慎重に考えて行動するタイプ。「生命線から離れた起点」は、大胆な発想で行動するタイプ。「生命線上からの起点」は、用心深く慎重過ぎるタイプ。

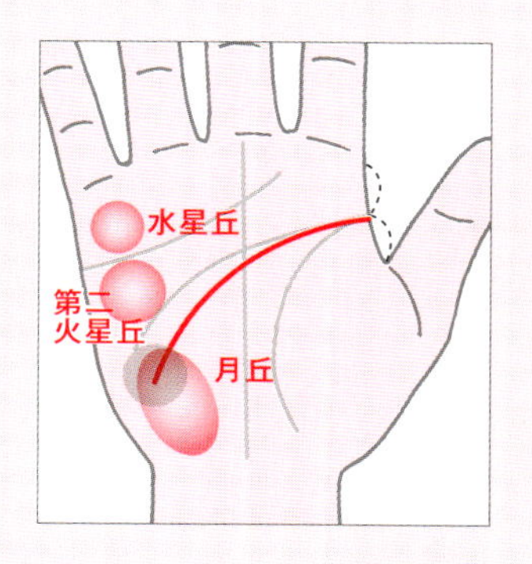

終点　思考傾向、才能や能力を身につける

【標準の位置】
曲線を描くように月丘の上部に伸びる

【終点のポイント】
「標準」は、理論的・創造的な考えをバランスよく持つタイプ。終点が「月丘の中・下部」は想像力が豊かでクリエイティブなタイプ。「第二火星丘」は、理論的・合理的で専門性のある分野向き。「水星丘」は社交的で財を増やす才能があるので営業や経営者タイプ。

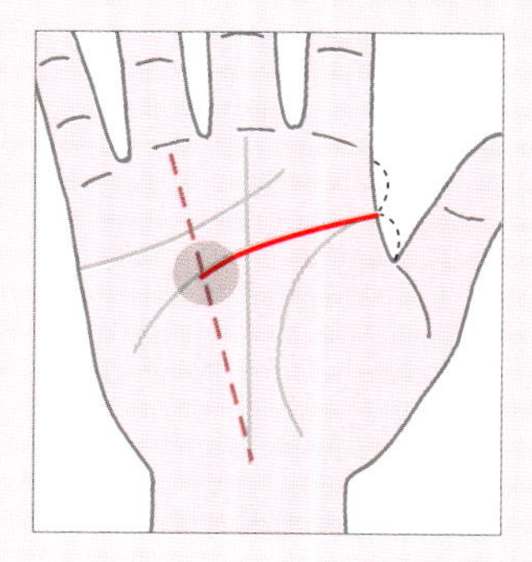

長短　望む仕事の方向性を手に入れる

【標準の長さ】
薬指のあたりから下ろした線の長さ

【長短のポイント】
「標準」は常識的で協調性があり、どんな職業でも順応性が高いタイプ。標準線を越える「長い線」は、納得しないと行動しないのでマイペースで取り組める仕事を。「短い線」は直感を重視して行動するタイプでルーティンの組める仕事向き。

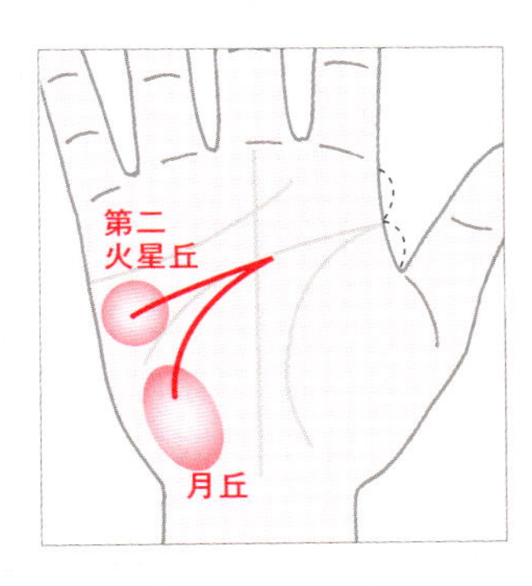

本数 2つの才能を手にいれる

【本数のポイント】

「線が二股に分かれている線」は、2つの才能と能力があり、才能を分散させることを示します。それぞれの線の終点の方向がその内容を示します（P54「終点」参照）。2本ある人は「二重知能線」（仕事運「複数の仕事をマルチな才能でこなす！」P94参照）で100％の才能と能力が2つあることを表します。

強運を呼び込むハンドライン「マスカケ線」

知能線と感情線が1本につながっている線を「マスカケ線」といいます。大吉の珍しい手相で、波乱万丈の人生を送りますが、逆境や困難にも打ち勝つしぶとさで才能を発揮する強運の手相です。少々気むずかしいところはあるものの冷静沈着、人をまとめる力に優れています。ちなみに、徳川家康もこの「マスカケ線」だったといわれています。

「マスカケ線」の描き方には、いくつか種類があるので、ハンドラインを描くときの参考にしてください。

いろいろな「マスカケ線」

濃い知能線と感情線の「マスカケ線」

だれよりも逆境に強いタイプ

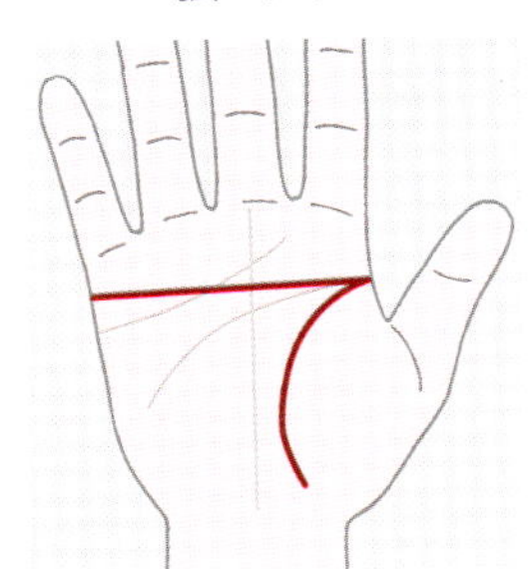

薄い知能線と感情線の「マスカケ線」

苦労を重ねることで、成功するタイプ

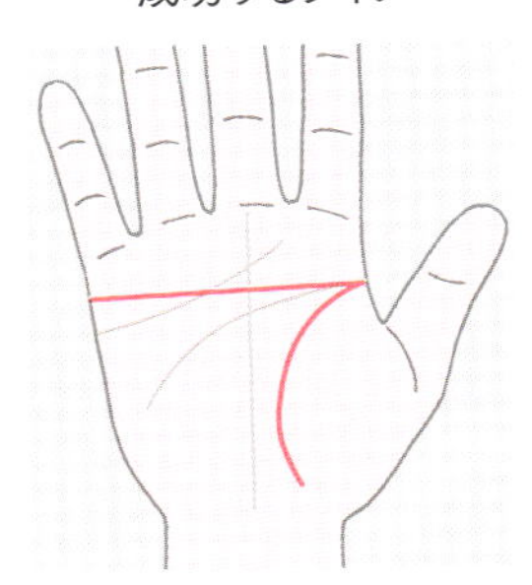

知能線と感情線の枝線がひとつになった「マスカケ線」

ほかのタイプより時間がかかるタイプ

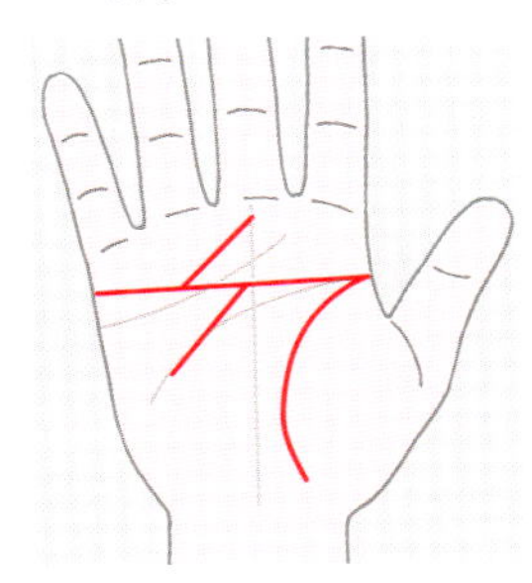

感情のコントロール、上手な愛情表現を手に入れる

感情線

「感情線」は、内面的な性格、感情の動き、愛情表現などを表します。心や愛情の動きが線に現れるので「ハートライン」と呼ばれています。

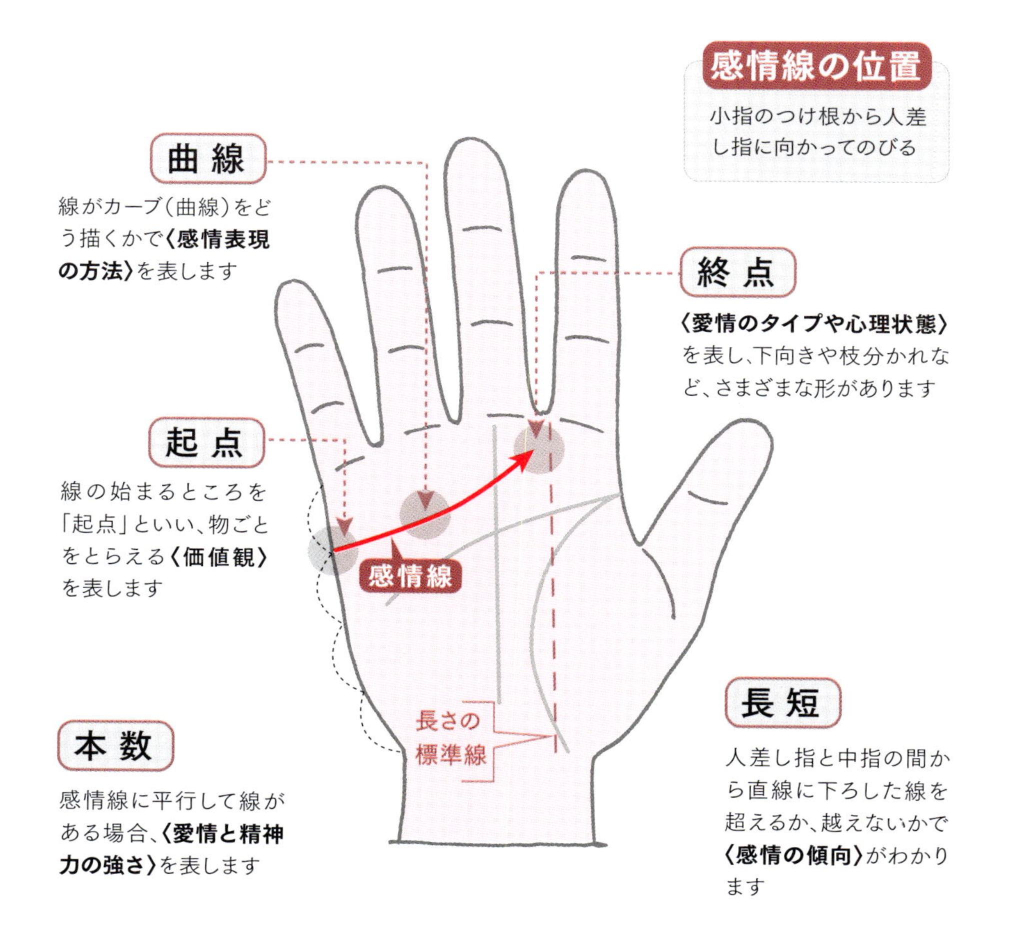

感情線の位置
小指のつけ根から人差し指に向かってのびる
曲線
線がカーブ(曲線)をどう描くかで〈感情表現の方法〉を表します
終点
〈愛情のタイプや心理状態〉を表し、下向きや枝分かれなど、さまざまな形があります
起点
線の始まるところを「起点」といい、物ごとをとらえる〈価値観〉を表します
感情線
長さの標準線
長短
人差し指と中指の間から直線に下ろした線を超えるか、越えないかで〈感情の傾向〉がわかります
本数
感情線に平行して線がある場合、〈愛情と精神力の強さ〉を表します

感情線で「幸運をつかむ手」をつくるポイント

心や愛情の状態、変化する感情などを表す「感情線」。
他の線とは違って少し乱れている方が、表現力豊かな
吉相だといわれます。
※図は【標準の位置】です

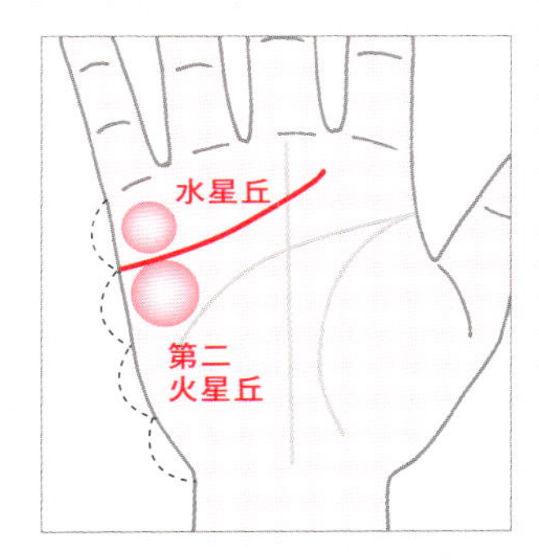

起点　打算的か、人情的か…価値観を調整する

【標準の位置】
小指のつけ根に近い1／4あたり
【起点のポイント】
「標準」は、常識的でバランスのよい価値観を表します。お金のエネルギー「水星丘」に近くなる「標準よりも上」は金銭が基準の打算的なタイプ。「標準よりも下」は人間性を重視するタイプ。

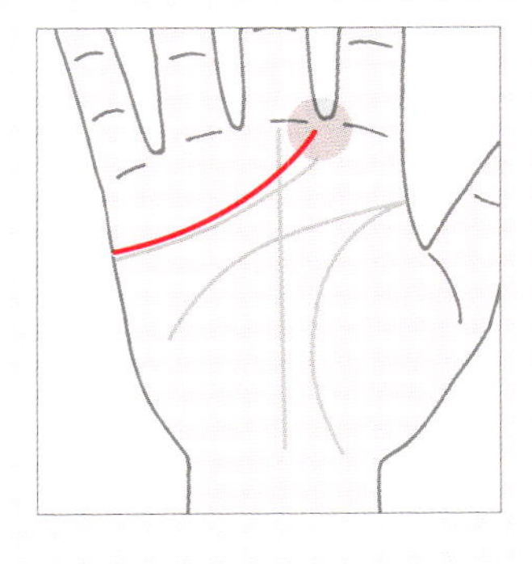

終点　心の動き、愛情のタイプをコントロールする

【標準の位置】
人差し指と中指の間あたりののびる
【終点のポイント】
「標準」は温和で相手の気持ちを思いやれるタイプ。「人差し指の真ん中」は、献身的な愛情を注ぐタイプ。「手のひらの端までのびる線」は独占欲や支配欲が強いタイプ。

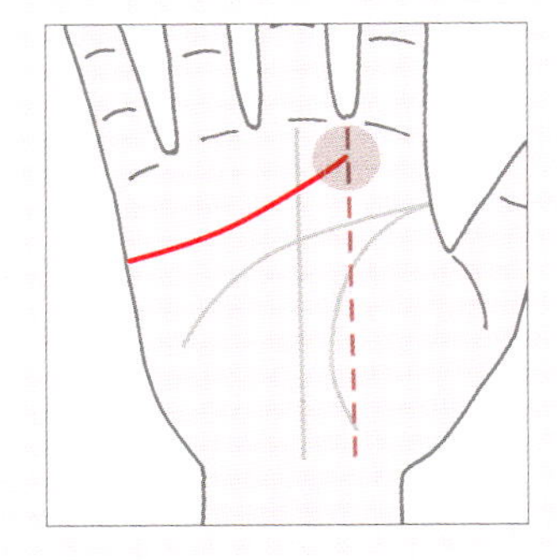

長短　感情の傾向をコントロールする

【標準の長さ】
人差し指と中指の間から直線に下ろした線のあたり
【長短のポイント】
「標準」は親しみやすく、消極的なタイプ。標準線に届かない「短い線」は感情がストレートで冷静沈着なタイプ。「長い線」は情熱的で面倒見がよい愛情深いタイプ。

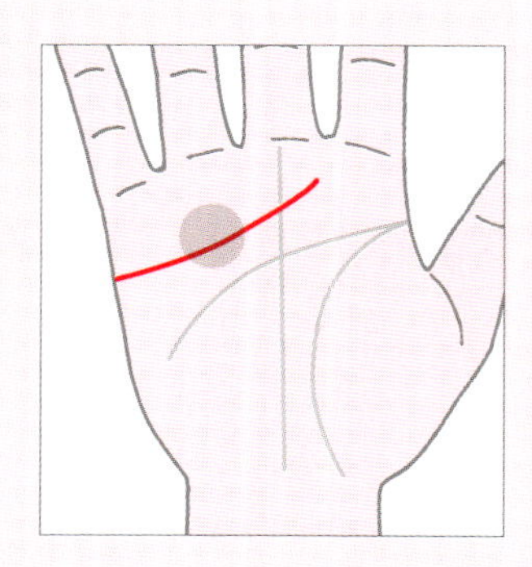

曲線　感情表現の方法をコントロールする

【標準の曲線】

ゆるやかな曲線

【曲線のポイント】

「標準」は感情表現がやわらかくやさしいタイプ。「急な曲線」は気性が激しく、感情表現も激しいタイプ。「直線」はストレートな感情表現をするタイプ。

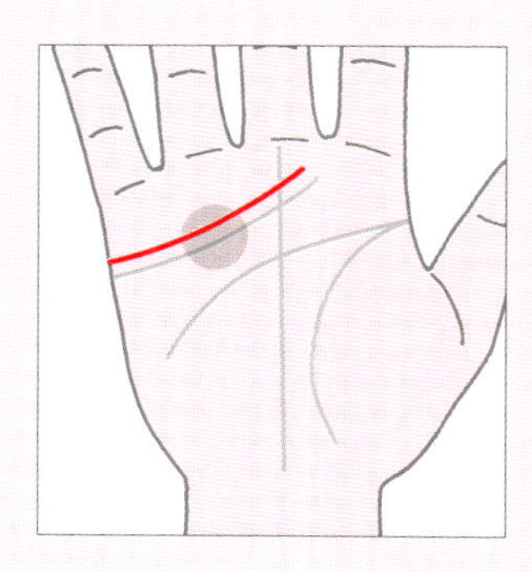

本数　愛情と精神力の強さを手に入れる

【本数のポイント】

感情線が2本ある「二重感情線」は、人の倍の強い感情、強い愛情を持っていることを表します。感情線に並行した線を「副感情線」といいます。「2本とも薄い線」は内面から溢れる強さを、「2本とも濃い線」は人の倍の愛情と粘り強さを持つタイプ。「薄い線と濃い線」は愛情、粘り強さは1.5倍で努力して開運するタイプ。

「終点」の表情で、吉相を描き分けて開運！

感情線の終点の表情を描き分けることで、さらに運気をアップさせることができます。感情線にかかわる丘の影響を受けるので「丘のストレッチ」（P22・23）も一緒に行いましょう。

はっきりとした二股の線

木星丘に届くように描いて開運。明るく前向きで好奇心旺盛、幸福な家庭運

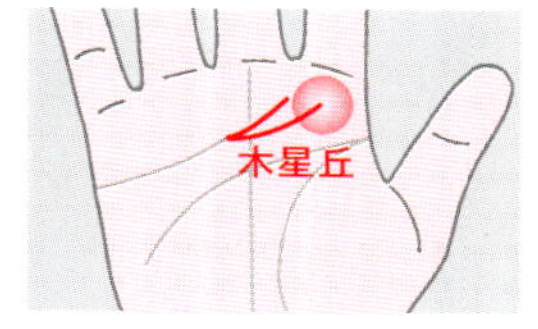

大きく分かれる三股の線

線がしっかりと3つに分かれ、木星丘に届くように描く。TPOに合わせた天性の「気配りの天才」

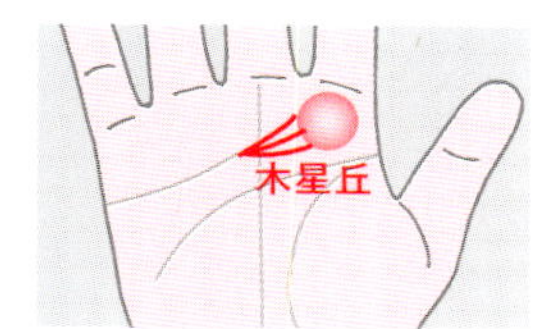

上向きの複数の枝線

3〜5本の上向き線を描く。ポジティブ思考の人気者。線が多く、太く濃い線は高圧的な態度になるのでNG

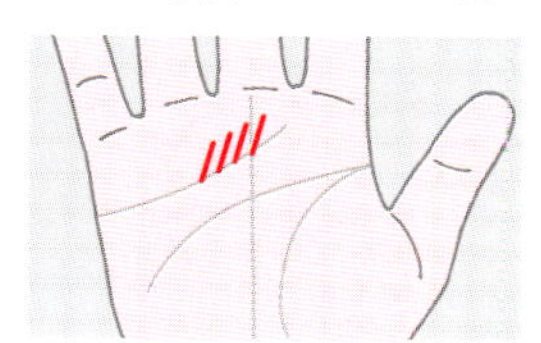

人生の転機を見極める方法、明るい未来を手に入れる

運命線

「運命線」は、過去・現在・未来の運勢、人生や環境の変化などを表します。線がなかったり、いくつもの起点や終点があったり…その表情は豊かで情報が満載の線です。

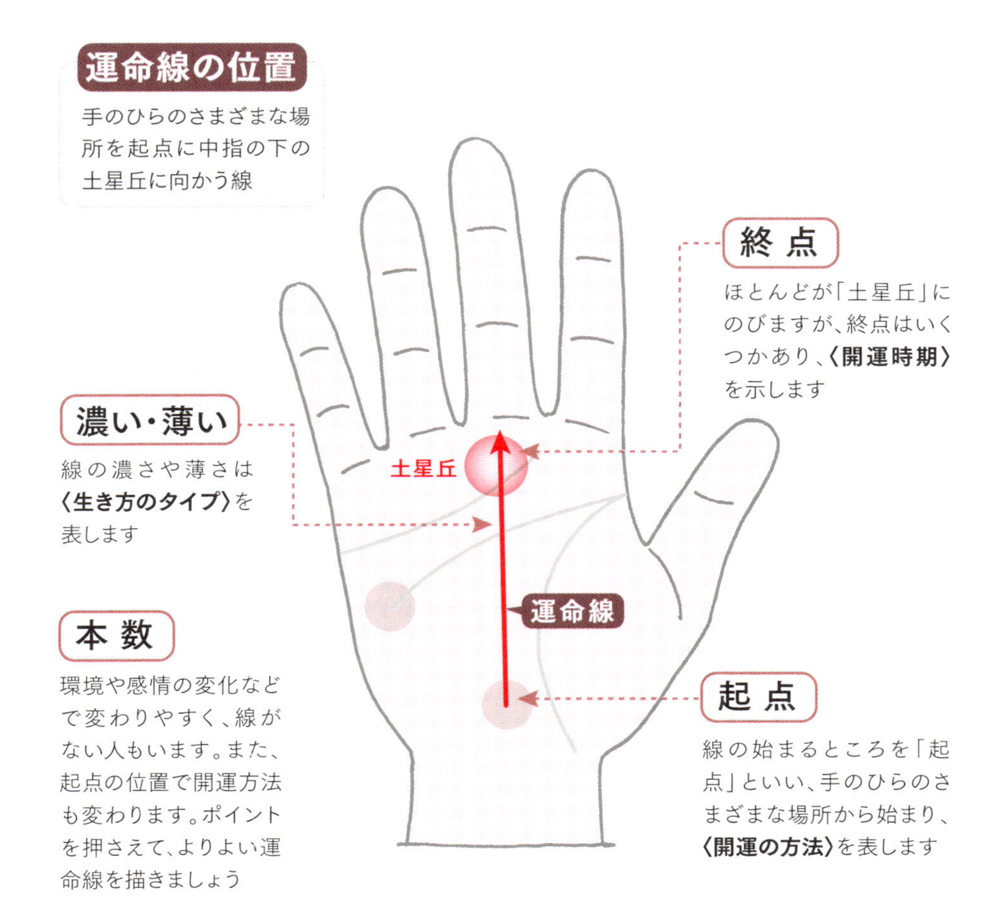

運命線の位置
手のひらのさまざまな場所を起点に中指の下の土星丘に向かう線
終点
ほとんどが「土星丘」にのびますが、終点はいくつかあり、**〈開運時期〉**を示します
濃い・薄い
線の濃さや薄さは**〈生き方のタイプ〉**を表します
土星丘
運命線
本数
環境や感情の変化などで変わりやすく、線がない人もいます。また、起点の位置で開運方法も変わります。ポイントを押さえて、よりよい運命線を描きましょう
起点
線の始まるところを「起点」といい、手のひらのさまざまな場所から始まり、**〈開運の方法〉**を表します

運命線で「幸運をつかむ手」をつくるポイント

「運命線」は、環境や感情の変化などで変わりやすく、線がない人もいます。また、起点の位置で開運方法も変わります。ポイントを押さえて、よりよい運命線を描きましょう。

※図は【標準の位置】です

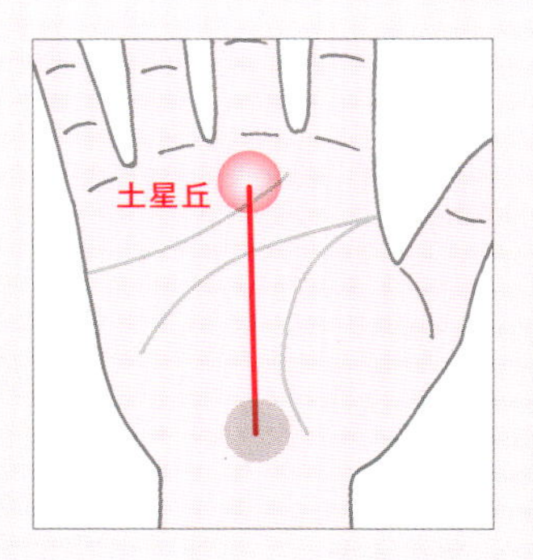

起点　自分に合う「開運方法」を見つける!

【標準の位置】

手首の少し上あたりを起点に、中指のつけ根の土星丘まで直線にのびる

【起点のポイント】

「標準」の「地丘」は先祖の加護で強運。自力で目的達成して開運するタイプ。起点が「月丘」の場合は身内以外の援助で開運。「金星丘(生命線の内側)」は位置によってさまざまな立場の人の援助で開運することを表します。

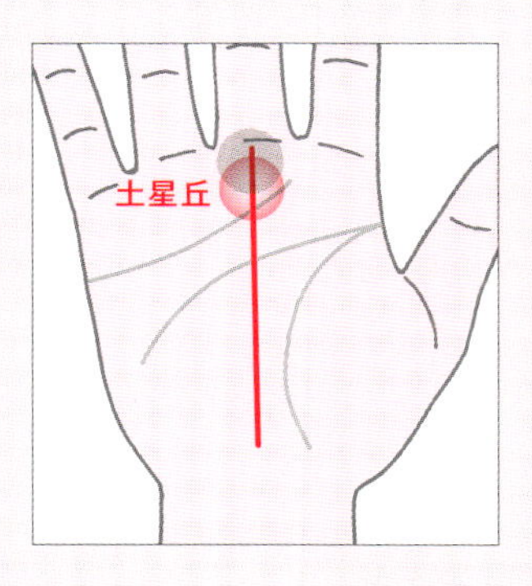

終点　あなたの「人生のタイプ」

【標準の位置】

中指のつけ根の土星丘

【終点のポイント】

ほとんどの人が「標準」の終点。努力・忍耐・研究心を意味する「土星丘」にのびるので人生を極めて一般的な晩年に。「土星丘と太陽丘の間」は、名声を得るための人生を送るタイプ。「木星丘」は珍しい終点で上昇志向が強く、兼職や地位を得る人生を送るといわれています。

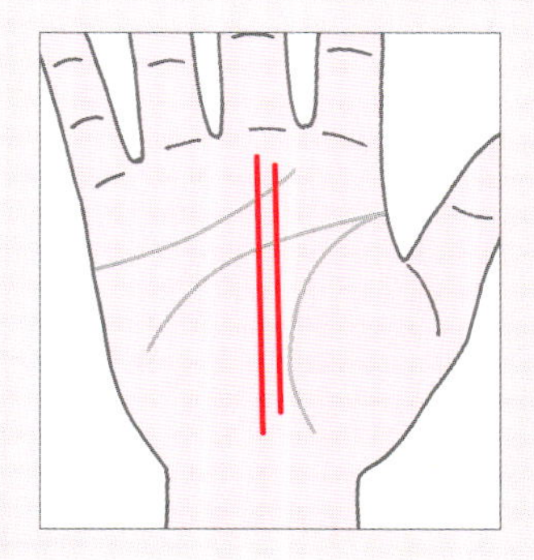

本数　2つの才能、成功方法を手に入れる

【本数のポイント】

２本ある線は、本業と副業、仕事と家庭など２つの分野をこなす才能を表し、吉相といわれています。２本の線が並行する部分の時期(「運命線の年齢の目安」P61参照)は多忙に。また、起点や終点の違う複数線がある場合は吉相のサイン。起点(「起点」参照)と終点(「終点」参照)の丘の意味を確認して、ハンドラインで開運に活かしましょう。

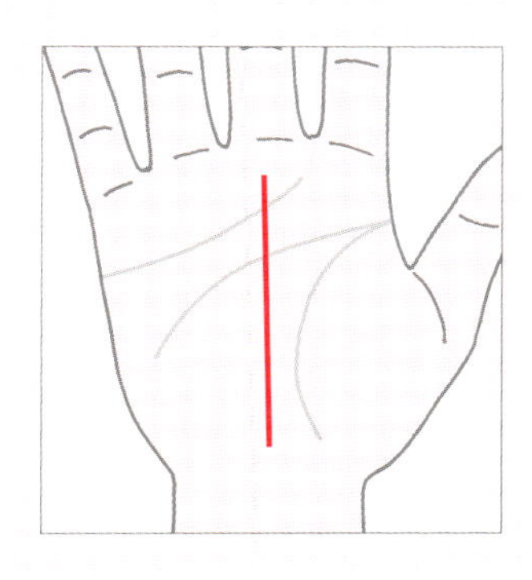

濃い・薄い　「人生の満足度」を現す目安

【標準の位置】

手を見たときに線と認識できる

【濃い・薄いのポイント】

「標準」は、運命線があるということ。「濃い線」は自分の生き方を貫くことで満足度アップ。「薄い線」は人を支えることに満足感アップする、またはまだやりたいことが見つからないことを表します。線のない場合も、目標を見つければ線は現れてきます。

運命線の年齢の目安

人生や各運勢の転機などが起こる時期を運命線でみていきます。ハンドライン術では、目標とする年齢を確認したり、線を描く目安にします。また、運命線が切れたり、途切れたりしている場合は手首から四等分した線で年齢をみます。

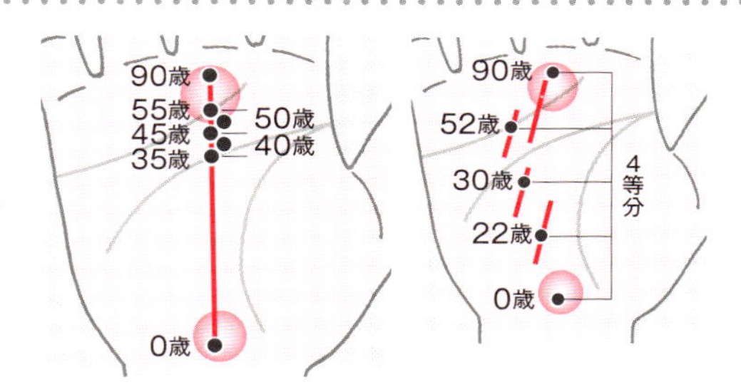

年齢は手首のつけ根が0歳、知能線と交わる位置が35歳、知能線と感情線を四等分した1/4が40歳、2/4(真ん中)が45歳、3/4が50歳、感情線と交わる位置が55歳、中指のつけ根が90歳を表します。

切れたり離れていた場合は、手首から中指を4等分して時期をみます。

秀吉も刻んだ「天下筋」など、運命線の超ラッキーライン

豊臣秀吉が天下を取るために手のひらに彫り込んだといわれる、中指の先までのびる「天下筋」。運命線の先端が水星丘と太陽丘にのびる三股の線「覇王線」。どちらの手相も強運を呼び込むハンドラインです。

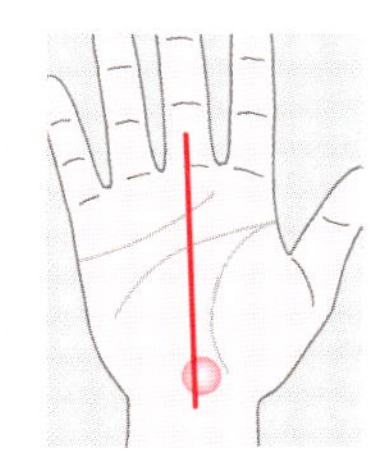

天下筋

天才タイプの最強の運だが、基本は努力型

手首よりも下の起点、中指の先にのびる終点の超長い運命線

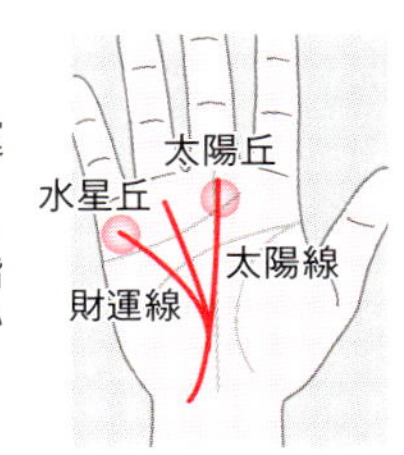

覇王線

松下幸之助にもあった、成功と財を手に入れる億万長者の線

運命線、太陽丘にのびる太陽線、水星丘にのびる財運線がある

四大基本線をサポートする「補助線」の意味を知ろう

四大基本線をサポートする「補助線」は20本あり、すべての人の手に現れるわけではありません。その人の個性や特徴、生活や社会環境などに応じて強く現れたり、消えたりします。そのため、ハンドライン術では上手に活用することをおすすめしている線です。ここではメインになる補助線を4つご紹介します。

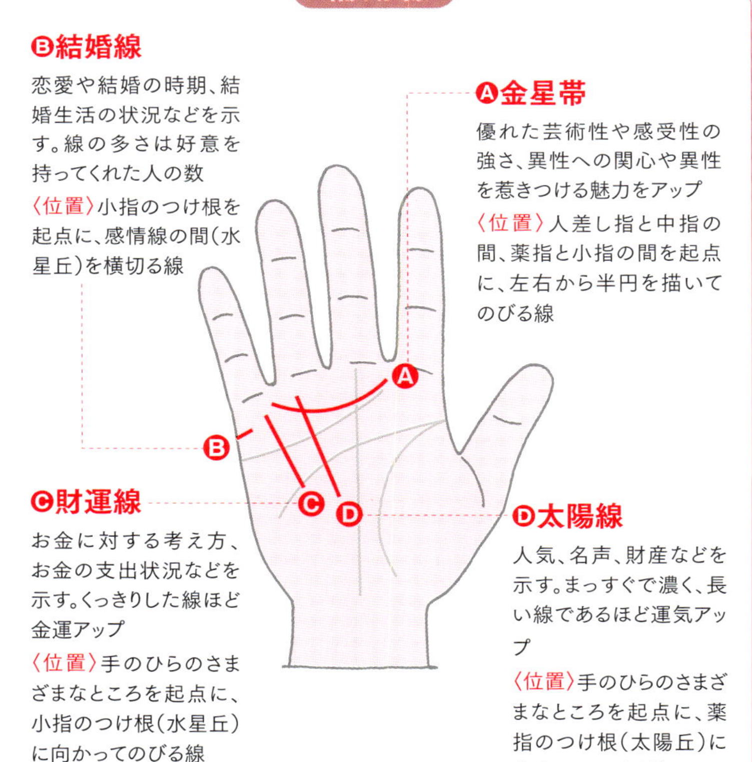

補助線
Ⓑ結婚線
恋愛や結婚の時期、結婚生活の状況などを示す。線の多さは好意を持ってくれた人の数
〈位置〉小指のつけ根を起点に、感情線の間（水星丘）を横切る線
Ⓐ金星帯
優れた芸術性や感受性の強さ、異性への関心や異性を惹きつける魅力をアップ
〈位置〉人差し指と中指の間、薬指と小指の間を起点に、左右から半円を描いてのびる線
A
B
C
D
Ⓒ財運線
お金に対する考え方、お金の支出状況などを示す。くっきりした線ほど金運アップ
〈位置〉手のひらのさまざまなところを起点に、小指のつけ根（水星丘）に向かってのびる線
Ⓓ太陽線
人気、名声、財産などを示す。まっすぐで濃く、長い線であるほど運気アップ
〈位置〉手のひらのさまざまなところを起点に、薬指のつけ根（太陽丘）に向かってのびる線

第三章

実践！目的別 ハンドライン術 活用法

幸運を呼び寄せる「ハンドライン術」

線を描いて、運気を呼び寄せよう

「線を描くことで、手相はかわるの？」と聞かれることがあります。その答えは、「YES！」です。手相は、強い願いを持って描くと変わっていきます。その方法を〈ハンドライン術〉と呼んでいます。

〈ハンドライン術〉は、線を描き足して幸運を呼び込む

古代インドから「手のひらのシワが運命を表す」と考え、さらに手のひらの線＝シワが変化することは「運命の足跡」を表していると考えられてきました。

運命を表し、運命の足跡でもある手のひらのシワ。けれど、「仕事運を今アップさせたい」「上手に人間関係を築きたい」「恋人が欲しい」など、本当に必要としている運気アップの線は、思い通りに現れることはほとんどありません。

手相鑑定を行っているときに、とても強い願いを持つ人、運勢を変えたいと切に思っている人などに出会うことがあります。そんな人におすすめしているのが、手のひらに線を描いて幸運を呼び込む〈ハンドライン術〉です。

線を描くことで脳がつくり出す「手のシワ」が幸運を呼び寄せる

「手に線を描いて運気アップ！」とだけ聞くと不思議ですが、脳と手の関係を知っていれば、それほど不自然なことではありません。

目的や願いを達成した自分を思い描きながら手のひらに線を描き、ツメなどでなぞることを繰り返すことで、脳はプラスの思考を受け取り、さらに思考して行動を起こします。この一連の流れで、手相が変化し、運気がアップしていきます。

また、何度も手に線を描き、ツメなどで線をなぞることでモチベーションも高くなり、そのプラス思考が運気アップの相乗効果にもなります。

「脳と手の関係」については、ぜひ第一章「ハンドラインで運命の足跡＝手相をよいものに！」（P26・27）をもう一度おさらいしてみてください。

「ハンドライン術」の活用法を覚えよう

ハンドラインで「なりたい自分」になって運気アップ！

さぁ、いよいよあなたの達成したい願いごとを叶えて「幸運」を呼び込む〈ハンドライン術〉の実践です。効果的に活用して「なりたい自分」を手に入れ、運気をアップさせましょう。

〈ハンドライン術〉を活用してあなたも運気アップ！

目的や強い願いを達成した自分を思い描きながら、手のひらに線を描いて運気、モチベーションをアップさせる〈ハンドライン術〉。

〈ハンドライン術〉を活用する前に、手のひらに線を描く前や描くときのポイント**「ハンドライン術の心得」**を確認しましょう。それから、ハンドラインの描き方の流れを**「ハンドラインを描く手順」**（P66・67）で確認してください。ハンドラインを描くときに、とても役立つはずです。

そのあと、性格や運勢別で〈ハンドライン術〉にチャレンジ！　願いや目的を達成した「理想的な自分」を手に入れましょう。

ハンドライン術の心得

①清潔な手でストレッチ＆マッサージ
手を清潔にして、「幸運をつかむ手」のベースをつくる

②本来の線（シワ）を活かす
元ある線（シワ）を活かして、肌色に近いペンで線を描く

③描く方向は、起点から終点へ
描き足すときも線の流れにそって、起点から終点へ向けて描く

④描く線は、3本を目安に
強い願い、達成したい目的に絞って描く

⑤描いた線は、ガイドライン
描いた線は、ツメなどでなぞるためのガイド。なので、線は曲がっても大丈夫！

⑥描くだけでなく、線を描いたら、行動も起こす
ポジティブな思考で描いて、「努力することが大切」を忘れずに

「ハンドライン術」の活用手順

1 目的を具体的で明確な言葉で表現する

たとえば、こんな感じ…

「無駄使いをなくして目標日まで目標額を貯める」

「好きな人を振り向かせる！」

「デザイン中心のクリエイティブな仕事に転職する」

「仕事でストレスをためやすいので精神的に強くなる」

〈ハンドライン術〉ポイント

- できる限り、具体的な言葉で「なりたい自分」「叶えたい願い」などを明確にする
- 目的を言葉にできないときは、ノートなどに思いつくまま書いてみる
- 目標の表現は「〜したい」よりも「〜する」が効果的

2 目的にあった＜ハンドライン＞を選ぶ

たとえば、こんな願いなら…

「無駄使いをなくして目標日まで目標額を貯める」

「性格」 → 用心深く慎重、じっくり考えて行動する性格

「金運」 → 貯金上手になって、お金との縁を深める

「性格」（P.70）　「金運」（P.84）

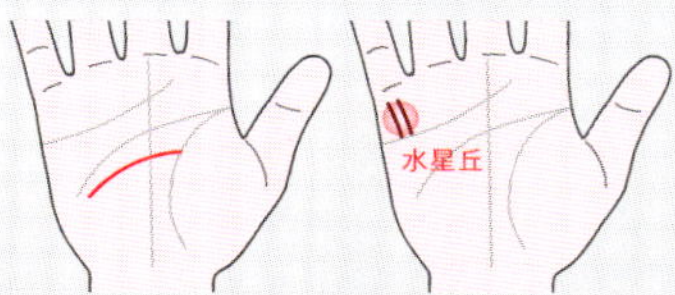

〈ハンドライン術〉ポイント

- 「性格」で線を選ぶときには、ベースになる四大基本線の役割を把握しておく
- 「各運勢」では、その運勢にかかわる線や丘の役割を把握しておく
- 迷ったら、すべての運勢に共通する「性格」から選ぶ
- 選ぶ線は、3本までを目安に

目的を具体的なイメージや明確な言葉で認識する

複雑でさまざまな形状の手のひらの線（シワ）は、あなたの今の心情から過去と未来、性格など、さまざまな情報を発信します。そのため、あなたの達成したい願いや**目的を〈具体的なイメージや言葉で明確にはっきりと認識〉**することがとても大事になります。

「性格」「各運勢」選びは、線や丘の役割を知って効果的に

達成したい願いや目的を認識したら目的にあったカテゴリーを選び、さらに「線のパターン」を選びましょう。

線を選ぶときには、「性格」ではベースになる**四大基本線の役割**を、「各運勢」では、その運勢にかかわる**線や丘の役割を把握**しましょう。

3 「幸運をつかむ手」をつくるストレッチ＆マッサージ

②の願いで選んだ線では…

線を描く前に、「金運アップのストレッチ＆マッサージ」を行い、とくに④の水星丘のストレッチは念入りに

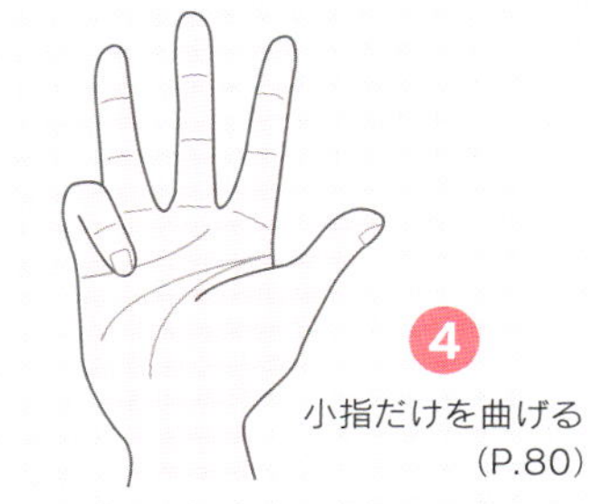

〈ハンドライン術〉ポイント

- 「基本のストレッチ＆マッサージ」(P20-25)を行う
- 各運勢の「運気アップのストレッチ＆マッサージ」を行う
- 選んだカテゴリーや「線のパターン」にかかわる線や丘をチェックして、ストレッチやマッサージも念入りに

4 ハンドラインを描く、繰り返しツメでなぞって運気アップ

②の願いで選んだ線では…

選んだ「線のパターン」を手に描き込み、ツメでなぞる

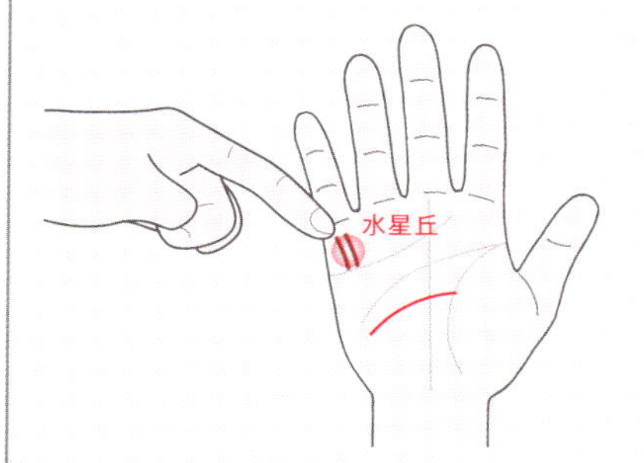

〈ハンドライン術〉ポイント

- 水性の肌に近い色のペンを使う
- 達成したい願いや目的を思い描きながら、線（ハンドライン）を描く
- 達成したい願いや目的を思い描きながら、ツメで線（ハンドライン）を繰り返しなぞる
- 線が消えてしまったら再度描く

忘れないで！「幸運をつかむ手」のベースづくり

線を描くことに夢中になりはじめると、忘れてしまいがちなのが「幸運をつかむ手」のベースづくり。

『運勢アップのストレッチ＆マッサージ』を行って『**幸運をつかむ手**』**のベースづくりは忘れない**ようにしましょう。

何度も線を描き、繰り返しツメでなぞって運気はアップする

線や丘の役割、描く方向などを確認してからハンドライン術を実践しましょう。

〈ハンドライン術〉で一番大切なのは、**「願いや目的を達成した自分」を思い描きながら「選んだ線をツメなどで繰り返しなぞる」**こと。手相が変化して運気がアップします。

運気アップのアイテムは、ツメに白のドット？！

手相鑑定では、「ツメに現れる白い斑点は、吉兆の印」といわれています。運気やエネルギーをキャッチする指のツメからも、よい運気を取り入れましょう。

ネイルのお手入れに、白い斑点を取り入れて運気アップ！

吉兆を呼ぶ「白い斑点」

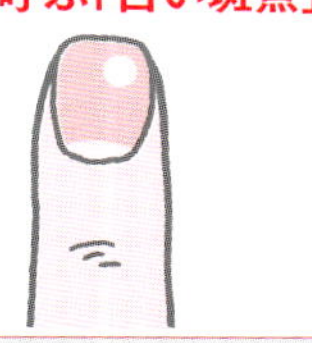

女性のツメのお手入れといえば、ネイルですが、最近は男性も身だしなみのひとつとしてツメのお手入れをする方が多いと聞いています。女性ならネイル・デザインに白のドットやストーンを使ったり…、男性は白のマニキュアでドットを描くなど、ひと工夫してみてはいかがでしょうか。

あなたは、どの指に「白いドット」を入れますか？

中指
現状の環境が好転、不動産運アップなど。真面目にがんばりたい人におすすめ

薬指
愛情関係が好転、結婚運アップ、パートナーの運気アップ、金運上昇など。結婚を目指す人には、とくにおすすめ

人差し指
金運上昇、仕事上の運気上昇など。新しいことにチャレンジする人に、とくにおすすめ

小指
小さいながらも運気を引き寄せる力は大きく、家族に幸運、不動産・金銭運アップ、子ども運アップなど

親指
対人関係が好転し、恋人ができるなどの恋愛運アップ

「幸運をつかむ」ハンドライン術

性格

性格とは、「気質、考え方の傾向、感情の傾向、才能」などのこと。ガラリと性格が変わることはありませんが、線を描くことで「なりたい性格」へと導いてくれます。

なりたい性格へと導いてくれる「四大基本線」

この〈ハンドライン術〉は、あくまで「なりたい性格」へと導く水先案内役。「積極的になりたい」「自信を持ちたい」…そんなときに線を描いてみましょう。

本質的な性格を表す、「知能線」

本質的なあなたの性格要素を手のひらに表すのが**「知能線」**です。

ここでは、あなたの本質的な性格を表す知能線の「起点」、才能や思考傾向を表す「終点」を中心にハンドラインを紹介します。

思考・行動・信条などの傾向を表す「感情線」「生命線」「運命線」

「感情線」では、あなたの内面的な性格、心理状態の傾向を示すハンドラインを、**「生命線」**では思考傾向や行動傾向を示すハンドラインを紹介します。**「運命線」**は、すべての人の手のひらにある線ではないのですが、敢えてハンドラインを描くことで感情や思考傾向を「なりたい性格」へと導いてくれます。

なりたい性格になる！
ハンドラインを描く手順

① 基本のストレッチ＆マッサージ（P20-25）

② 「なりたい性格」を明確に認識する

③ 描き込むハンドラインを選ぶ

④ 目立たない色のペンで線を描き、ツメなどでなぞる

開運ハンドライン術

性格 知能線の描き方

用心深く慎重、じっくり考えて行動する性格

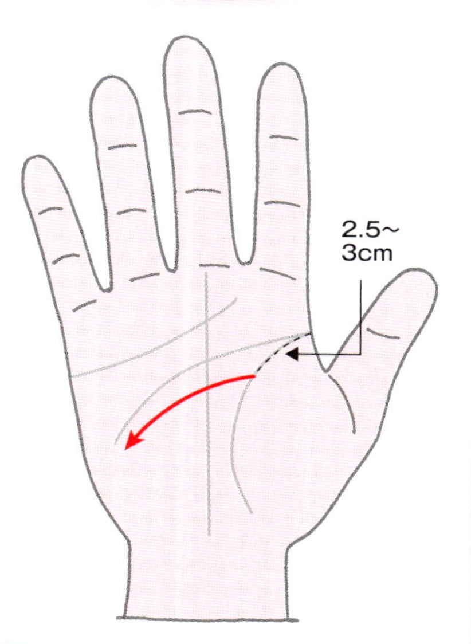

生命線の途中（2.5～3㎝）が起点の知能線を描く

何ごとも用心深く、警戒心が強く慎重に物ごとをすすめる性格です。周囲の環境に適応力があり、人に対する気遣いに優れています。

性格アドバイス

綿密さや探求心が必要な分野の仕事などでは、おすすめのラインです。線を描く位置が、生命線の下になるほど、慎重さは顕著になるので線を描くときは確認を。

独立心が強く、大胆な性格

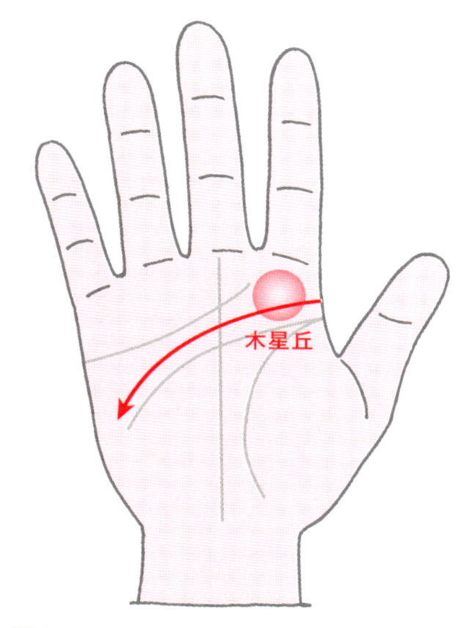

知能線の起点を生命線から離して描く

生命線から離れるほど、大胆な発想や行動力を持ち、外向的でしっかり者という性格です。また、独立心も旺盛なタイプです。

性格アドバイス

権力と支配の丘である木星丘が起点だと、努力家で何ごとにも一生懸命、上手に人を支配する性格に。

開運ハンドライン術 性格 知能線の描き方

現実的で合理的な性格

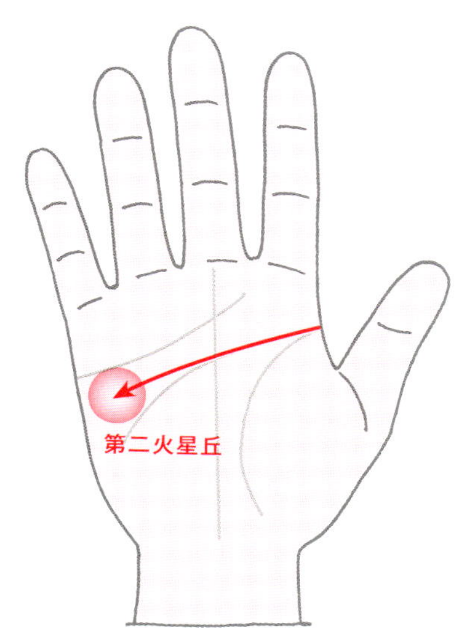

知能線の終点を第二火星丘にのびるように描く

物ごとを論理的、合理的に判断する現実主義者。プロ意識が高く、交渉ごとでは押しが強く、相手の動向を的確につかむ分析が得意です。

性格アドバイス

線を短く描きすぎると合理的な考え方重視になってしまうため、人間関係まで合理的になるので注意。

人の意見をよく聞き、思いやりのある性格

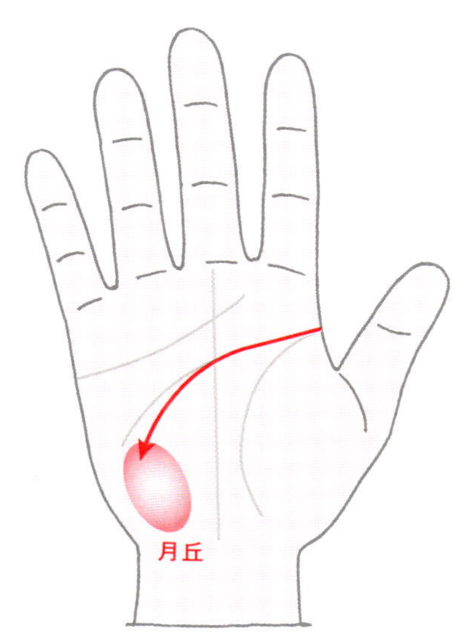

知能線の終点を月丘の上部にのびるように描く

考え方が柔軟で人の意見も取り入れ、思いやりのあるタイプ。社交的で人に好かれ、夢を追いかけても現実の生活はおろそかにしません。

性格アドバイス

終点が月丘の下部になると理想が高くなり、現実的な生活にも無頓着になる傾向が。マイペースが可能な環境なら月丘の下部に描くと開運。

性格 感情線の描き方

気配り上手で親切、とても社交的な性格

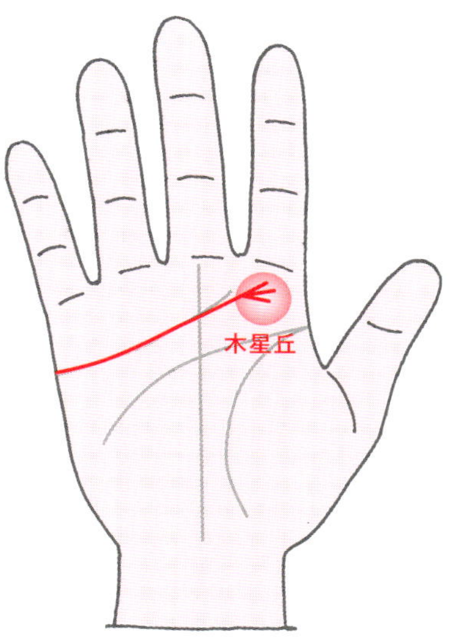

感情線の終点が木星丘に届き、末端に大きく分かれる複数の支線を描く

社交的で明るく、朗らかな性格を表す線です。初対面の人にも親切で、気配りのできるタイプ。

性格アドバイス

木星丘に届かない線の場合は、細やかな気配りをする、控え目で自己アピールが下手なタイプになり、気疲れしやすくなるので注意。

考える前に行動する猪突猛進の性格

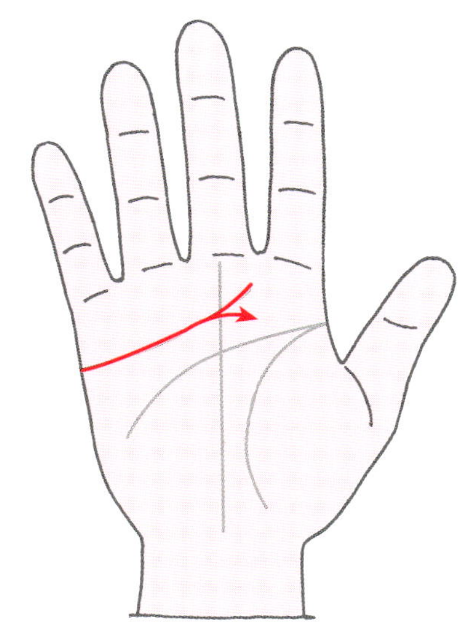

感情線の終点に枝分かれするもう1本の線を描く

好奇心やチャレンジ精神が旺盛です。適応力があり、物ごとのコツや変化の見極めにも長けていて、器用になんでもこなすタイプです。

性格アドバイス

知能線自体が下向きになると、好きなことにしか興味がなく、その他のことにはやる気が起きないという性格に。

開運ハンドライン術　性格　感情線の描き方

気遣いができる献身的な性格

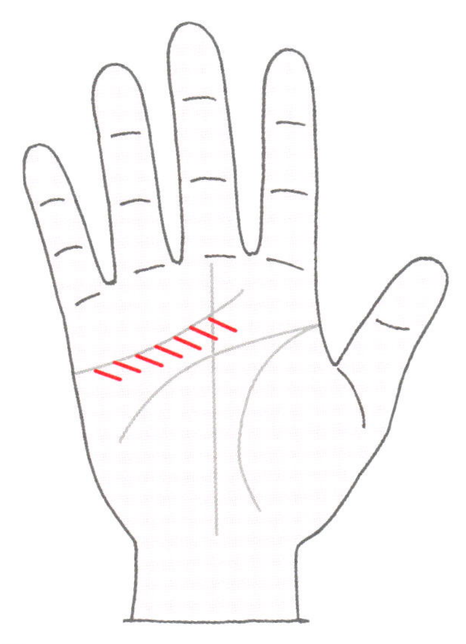

感情線の線の下に枝線を描く

神経が細やかで繊細な感情を持ち、優しい性格を表します。困っている人がいると見過ごすことができません。

性格アドバイス

線を同じ向きで何本も描くのがポイント。思いを内に秘めてしまうので、積極的になりたい恋愛や仕事などには向かないかもしれません。

前向きで思いやりのある性格

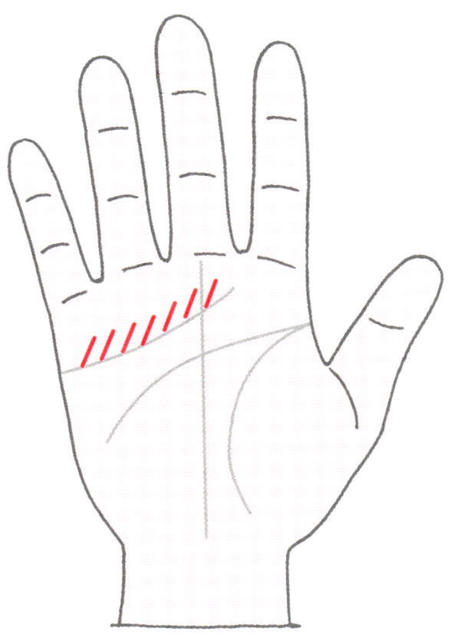

感情線の線の上に枝線を描く

ポジティブな思考を持ち、思いやりのある性格です。また、明るく社交的でだれからも好かれる人気者タイプでもあります。

性格アドバイス

線を同じ向きで何本も描くのがポイント。この枝線は、恋愛や結婚だけでなく、仕事や人生でのよき出会いをもたらします。

開運ハンドライン術

性格 感情線・生命線の描き方

向上心上昇で、チャレンジ精神が旺盛な性格

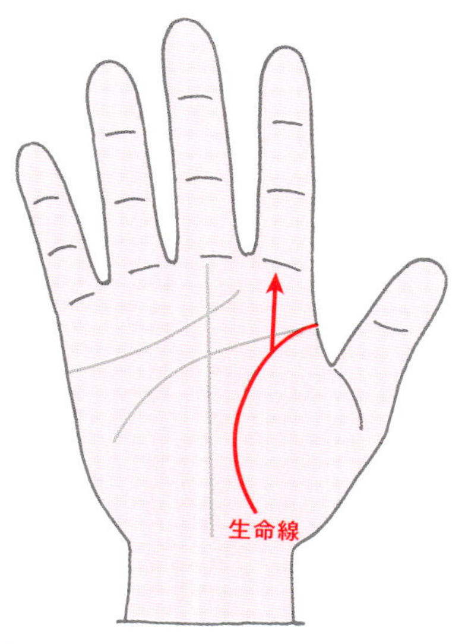

生命線の起点近くから、人差し指に向かってのびる線を描く

「向上線」「開運線」と呼び、チャレンジ精神が旺盛で失敗してもくじけず乗り越えていけるパワーを持つ性格です。

性格アドバイス

この線は、1、2本がベスト。それ以上の線を描くと散漫になってしまうので注意。

何ごとにも動じない太い神経を持つ性格

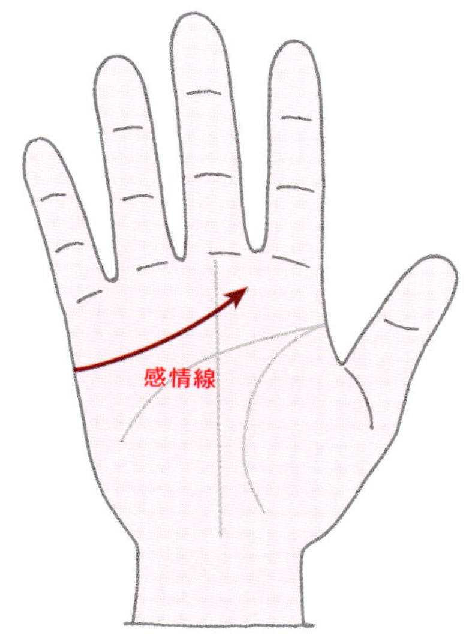

感情線を濃くはっきりと描く

感情線の濃く描くことで何ごとにも動じない太い神経質を持つ反面、素直で感動しやすい性格に。

性格アドバイス

感情的になりやすくなる傾向があるので、議論が白熱しそうな場所や対立する相手に会うときなどは避けた方がいいかも。

開運ハンドライン術 性格 生命線の描き方

性格
金運
仕事運
健康運
恋愛運
結婚運

控え目で穏やか、和を大切にする性格

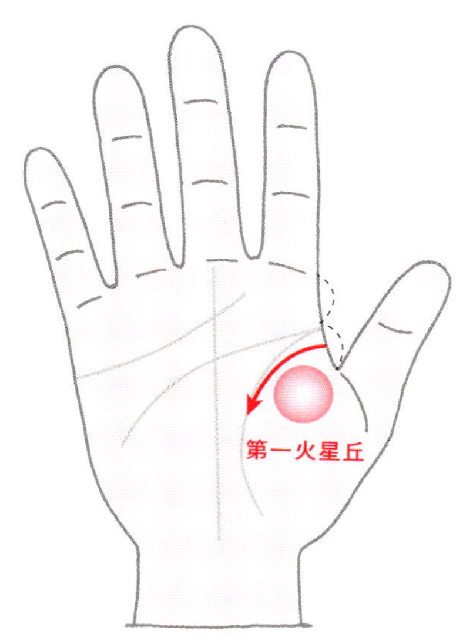

生命線の起点を人差し指と親指のつけ根の1/2より下に描く

穏やかで協調性のある性格です。用心深くもあり、慎重に物ごとをすすめるタイプです。

性格アドバイス

第一火星丘は闘争心や競争心の丘なので、ここが起点になると短気で怒りっぽい性格になるので描くときは注意。

自信家で人前でも自己主張のできる性格

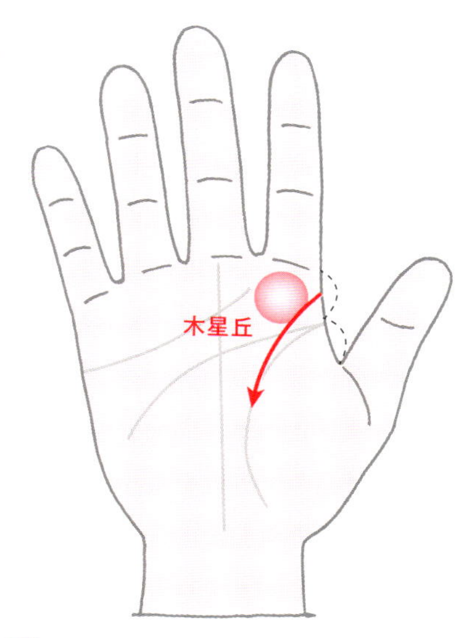

生命線の起点を人差し指と親指のつけ根の1/2より上に描く

起点の木星丘は、権力と支配の丘。自己顕示欲が強く、人前でも自分の意見をハッキリ言える性格です。大胆でチャレンジ精神も旺盛、管理力・指導力に優れています。

性格アドバイス

木星丘の中心が起点になると、人の気持ちがわからない野心家に。人差し指と親指のつけ根の中間なら、穏やかで安定した性格に。

性格 運命線の描き方

自己を貫き、目標に向かって努力する性格

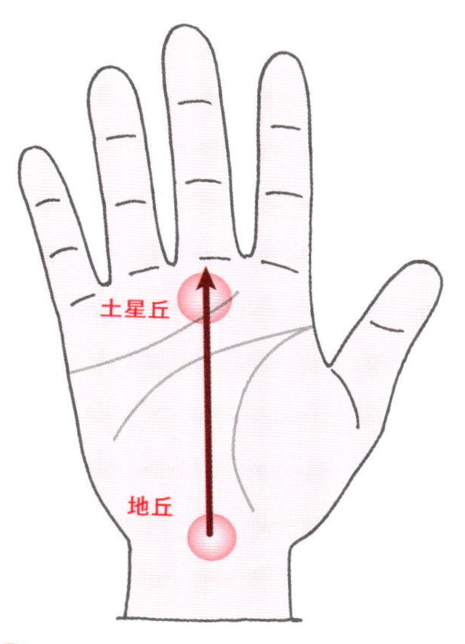

運命線を濃く太く描く。運命線がある場合は、上書きする

自分自身で人生を切り開こうと努力するタイプを表します。また、線が濃いほど、自分の生き方や考え方を貫きたいと考え、長い人は周囲に流されない自己をもった性格です。

性格アドバイス

長く濃く真っ直ぐな運命線は「成功者の相」といわれます。我が強くなり、協調性がなくならないように線は濃すぎないように描きましょう。

自立心旺盛で負けず嫌いな性格

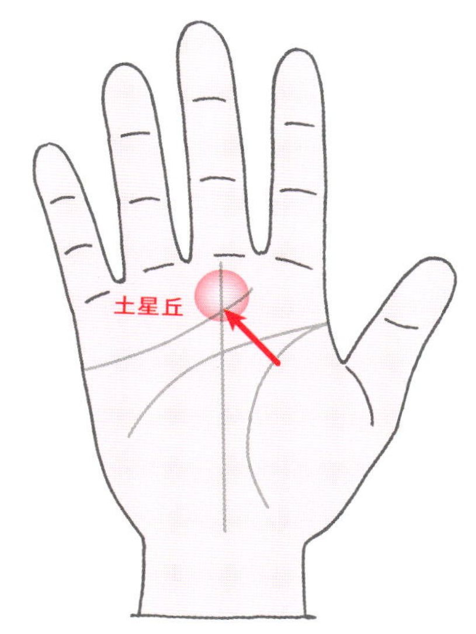

生命線を起点に、土星丘まで太くしっかりした線を描く

上昇志向で負けず嫌いな性格を表します。人一倍の頑張りと努力、向上心を持ち、自らの意志と才能、能力で成功していく意志の強いタイプ。

性格アドバイス

線が、土星丘まで届くように濃くしっかりと描きます。届かない場合は「努力線」になります。

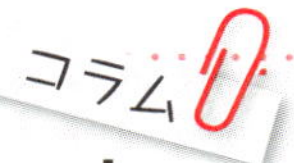

「自分の性格がよくわからないかも…」九星気学を参考にしてみましょう

性格は、どの運勢にもかかわるものです。けれども「自分の性格がよくわからない」という人もいます。そんなときには性格の目安として「九星気学」をおすすめします。また、第二章の「手そのものからも情報を受け取ろう」（P32～35）なども併用して自己分析してみるのもいいでしょう。

※九星気学は、生まれた年月日の九星と干支、五行を組み合わせた占術

九星気学で性格を知ろう

一白水星	頭がよく理性的、神経が細かく小さなことで悩みやすいという傾向あり
二黒土星	まじめで忍耐力があり、コツコツと続けるような作業は得意。行動がスローな傾向
三碧木星	見栄っ張りで賑やかなことを好み、華がある。謙虚さを忘れると晩年に苦しむ傾向
四緑木星	社交的でどんな所でもスッと馴染むが、流されやすく優柔不断な傾向も
五黄土星	タフで行動力があり、肝のすわった親分肌で温和な反面、強情な部分も
六白金星	正義感が強く、頭脳明晰。感受性に乏しいため、他人の感情に共感しにくい傾向あり
七赤金星	交際上手で弁論が得意。迫力に欠け、精神的に甘く「ツメの甘さ」が欠点
八白土星	信頼関係ができれば裏切らない誠実さがあり、辛抱強い。軽佻浮薄な傾向あり
九紫火星	美男・美女が多く、頭脳明晰で芸術の才能もあり。移り気な部分が欠点

●九星気学 早見表

生まれた年

九星							
一白水星	昭和38年	昭和47年	昭和56年	平成2年	平成11年	平成20年	平成29年
二黒土星	昭和37年	昭和46年	昭和55年	平成元年 昭和64年	平成10年	平成19年	平成28年
三碧木星	昭和36年	昭和45年	昭和54年	昭和63年	平成9年	平成18年	平成27年
四緑木星	昭和35年	昭和44年	昭和53年	昭和62年	平成8年	平成17年	平成26年
五黄土星	昭和34年	昭和43年	昭和52年	昭和61年	平成7年	平成16年	平成25年
六白金星	昭和33年	昭和42年	昭和51年	昭和60年	平成6年	平成15年	平成24年
七赤金星	昭和32年	昭和41年	昭和50年	昭和59年	平成5年	平成14年	平成23年
八白土星	昭和31年	昭和40年	昭和49年	昭和58年	平成4年	平成13年	平成22年
九紫火星	昭和30年	昭和39年	昭和48年	昭和57年	平成3年	平成12年	平成21年

「幸運をつかむ」ハンドライン術

金運

「お金を貯めたい」「鋭い金銭感覚を身につけたい」など、お金に関する願いはさまざま。手のひらに金運を呼び寄せるハンドラインを描いて、幸運を呼び込みましょう。

お金との縁を結ぶ「線」と「丘」

お金を生み出す力を現す「太陽線」 お金を増やす「財運線」

金運に縁が深い線には、お金を生み出す力を表す**「太陽線」**、金運上昇で現れ、臨時収入や貯蓄を表す**「財運線」**があり、メインの線になります。

太陽線は、収入を得る方法を表し、真っ直ぐで濃く長い線ほど、運気が上昇します。財運線は、他の線のようにふだんは手のひらに現れないのですが、現れると「金運がアップ」するサインでお金との縁が深くなります。

金運をサポートする「知能線」「運命線」 金運を呼び込む「水星丘」「太陽丘」

四大基本線の**「知能線」**は、優れた金銭感覚を手に入れて金運上昇をサポートします。**「運命線」**は、金運が開運する時期の目安になります。

また、金運にかかわる丘は、**「水星丘」**と**「太陽丘」**の2つ。財運線の終点である水星丘は、日常的なお金の知恵を表します。太陽線の終点である太陽丘は、財運を呼び込む丘です。

金運アップ ハンドラインを描く手順

① 基本のストレッチ＆マッサージ (P20-25)

② 金運アップのストレッチ＆マッサージ (P80-81)

③「つかみたい金運」を明確に認識する

④ 描き込むハンドラインを選ぶ

⑤ 目立たない色のペンで線を描き、ツメなどでなぞる

金運で幸運をつかむ「線」と「丘」

「金運」にかかわる財運線・太陽線、知能線、そして水星丘・太陽丘の位置を確認、さらにハンドラインを描く方向を覚えましょう。

財運線

金運上昇、お金を増やす才能

位置
手のひらのさまざまなところから水星丘に向かってのびる線。金運上初期に現れる線

太陽線

お金を生み出す才能

位置
手のひらのさまざまなところから太陽丘に向かってのびる線

水星丘

商才と財産の丘

位置
小指のつけ根の下にある丘
丘の発達
金運、財運に恵まれる

太陽丘

幸福や成功の丘

位置
薬指のつけ根の下にある丘
発達した丘
財運に恵まれる

知能線

お金に対する考え方、金銭感覚

位置
親指と人差し指のつけ根の間から手のひらを横切ってのびる線

運命線

金運の開運時期

位置
手のひらのさまざまなところから中指のつけ根に向かってのびる線。線が現れない場合もあります

金運アップのストレッチ＆マッサージ

金運をつかむメインの「財運線」「太陽線」を中心に「線」と「丘」の周辺をストレッチ＆マッサージをして、金運をアップしましょう（両手で1回3セットを目標に）。

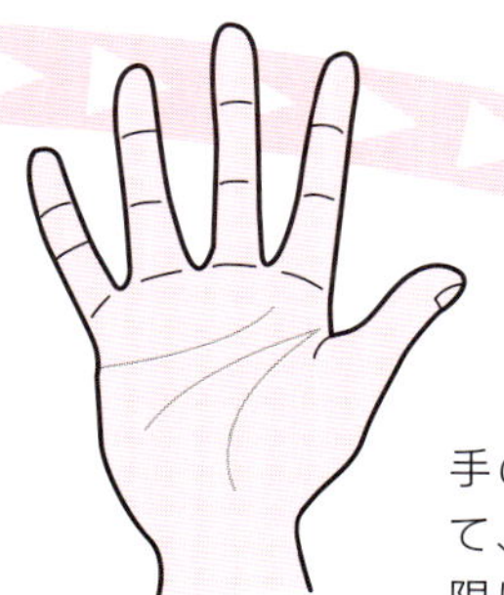

1

手のひらを反らせて、指の間をできる限り開く

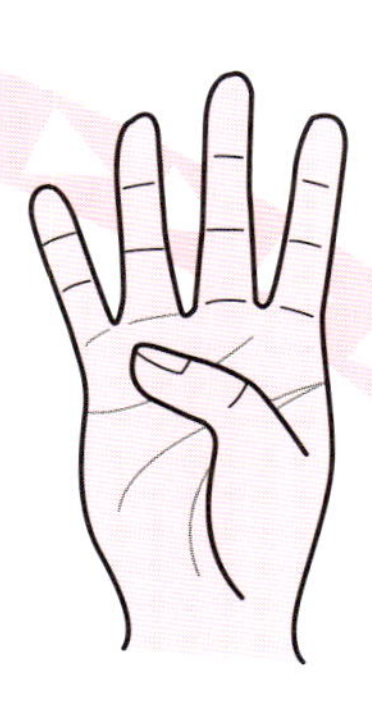

2

親指だけを曲げる

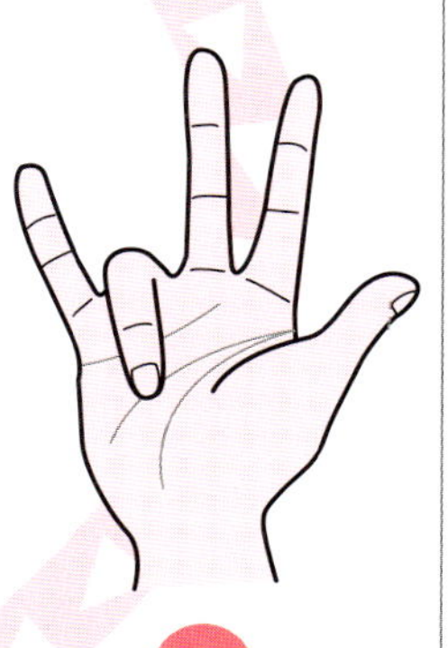

3

薬指だけを曲げる

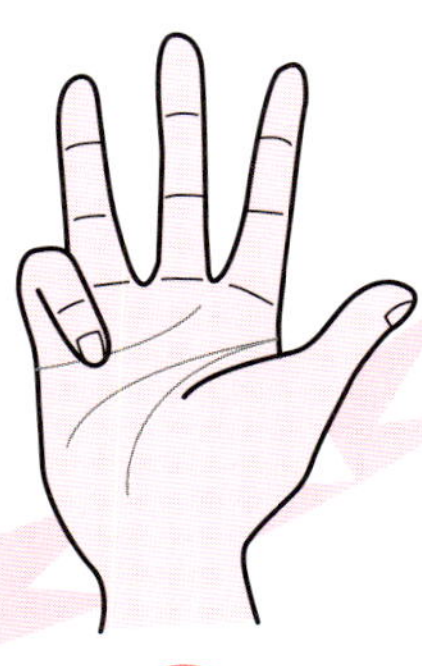

4

小指だけを曲げる

① 手のひらを上に向けて、指を揃える
② 小指のつけ根部分に、もう一方の手の親指をあて手のひらに向かって押す

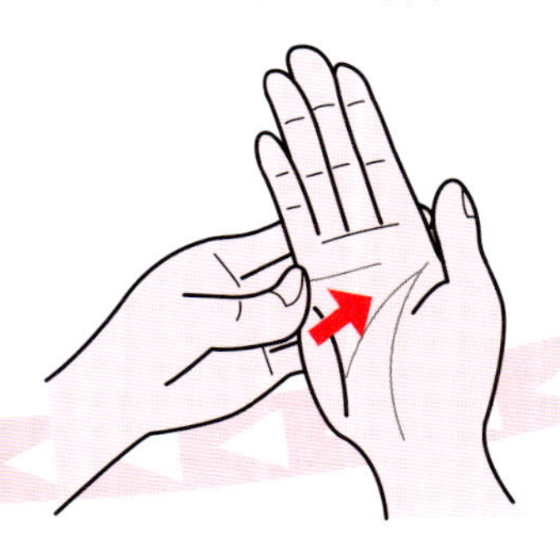

Point

- 時間のあるときには、第1章の「基本のストレッチ＆マッサージ」（P20-25）を行ってから、続いて行うと効果的です。
- 時間のない時は、メインの「財運線」「太陽線」にかかわる3-4-5-6を中心にストレッチ＆マッサージを行いましょう。

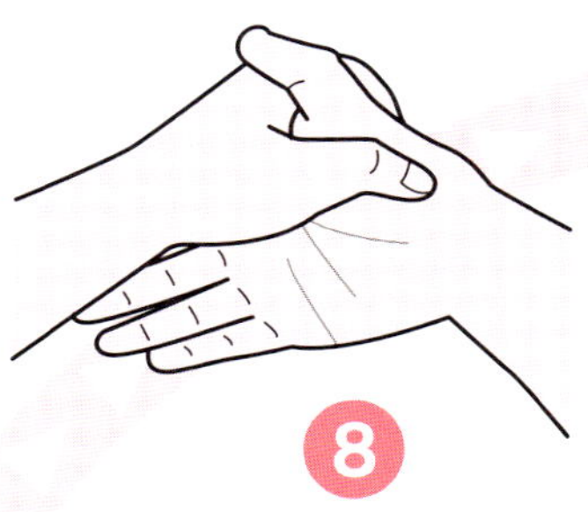

8
手のひらを上に向け、親指と人差し指のつけ根あたりをもう一方の手の親指で押す

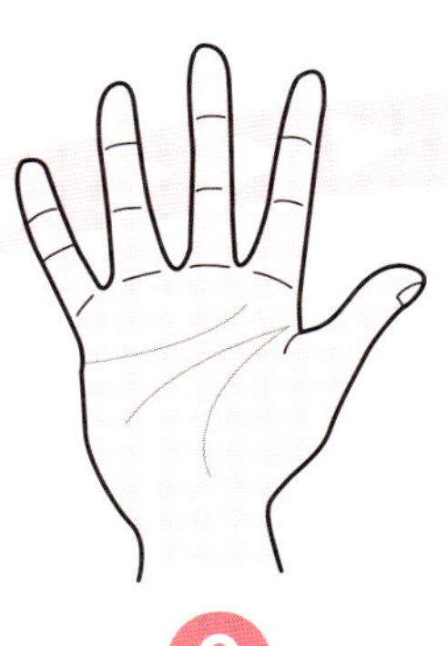

9
1に戻り、3セット行う

7
親指以外の指を折り、力を入れて握る

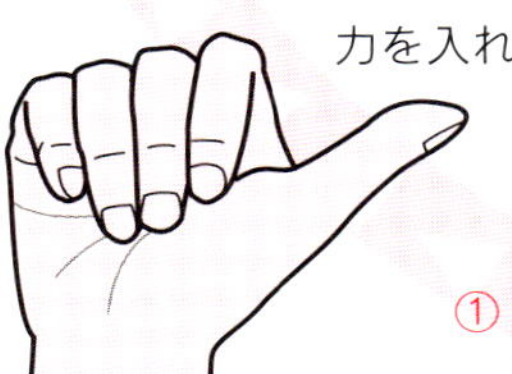

6
① 手のひらを上に向けて、親指と小指を合わせるようにすぼめる
② すぼめた手をもう一方の手でつかむ

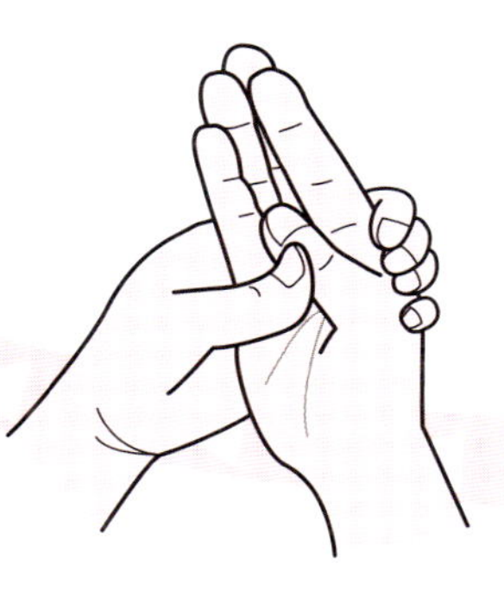

開運ハンドライン術

金銭・経済感覚を身につける知能線の描き方

優れた金銭感覚を身につける!

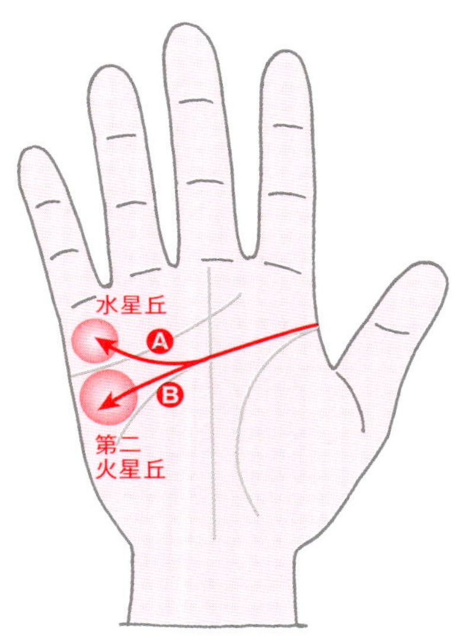

A 知能線の終点を水星丘にのびるように描く
B 知能線の終点を第二火星丘にのびるように描く

A 頭を使ってお金を儲ける才能をもたらします。
B 集中力と忍耐力、有能な実務能力が認められて財をもたらします。

金運UPアドバイス

A 水星丘にしっかり届く線を描きましょう。
B 第二火星丘にしっかり届く線を描きましょう。

投資の才能を身につける

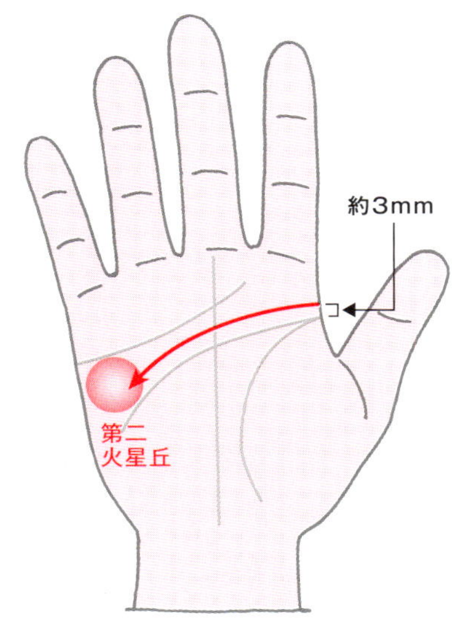

知能線の起点を生命線から3mmほど離して、終点が第二火星丘に届くように描く

知能線の起点を生命線と離れて描くと投資の才能をもたらし、終点が第二火星丘にあると冷静な判断力をもたらします。

金運UPアドバイス

投資に必要な大胆さですが、冷静さを加味するように知能線の終点が第二火星丘に届くように描きます。

開運ハンドライン術 自力で財を成す太陽線の描き方

二足のわらじで財を得る！

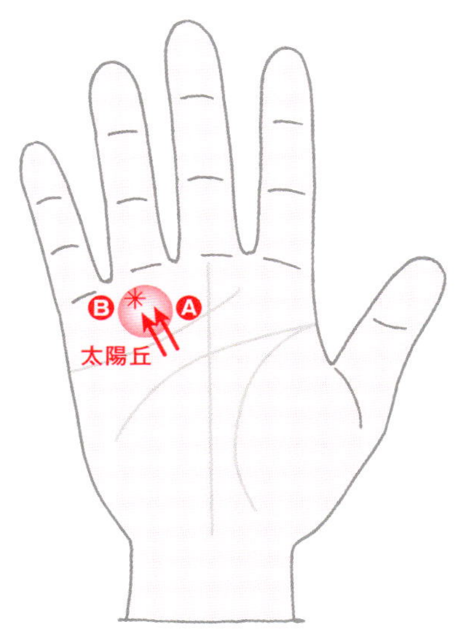

Ⓐ 太陽丘にのびるはっきりとした線を2本描く
Ⓑ 太陽丘に星型になる線を描く

Ⓐ 「主婦と会社員」「2つの異なる仕事」など二足のわらじを履いて金運がアップします。
Ⓑ 太陽丘にある星型は、人生を豊かにする財運を呼び込みます。

金運UPアドバイス

どちらもはっきりと、そして線は真っ直ぐに描きましょう。

自力で財を得る方法を身につける！

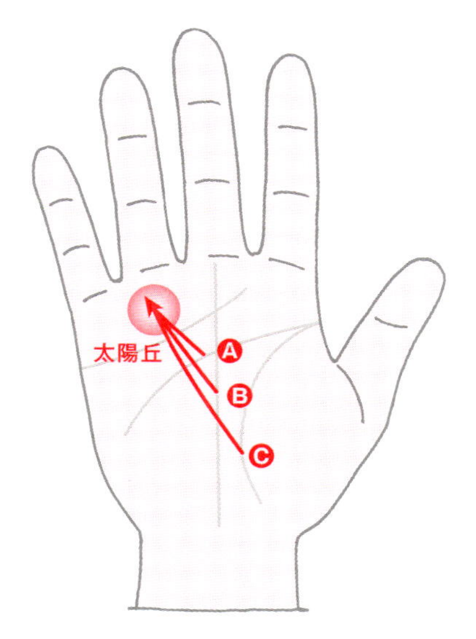

Ⓐ 知能線から太陽丘にのびる線
Ⓑ 運命線から太陽丘にのびる線
Ⓒ 生命線上から太陽丘にのびる線

Ⓐ 知的なひらめきや鋭い経済観念を活かして財を呼び込みます。
Ⓑ 今までの頑張りが認められ、金運に結びつきます。
Ⓒ 生まれ持った能力や才能を使って努力し、結果金運を呼び込みます。

金運UPアドバイス

Ⓒは、金運をアップさせたい時期（ⒶⒷP61「運命線」、ⒸP52「生命線の年齢の目安」）をチェックして太陽線を描きましょう。

開運ハンドライン術

お金との縁を結ぶ 太陽線・財運線の描き方

貯金上手になって お金との縁を深める

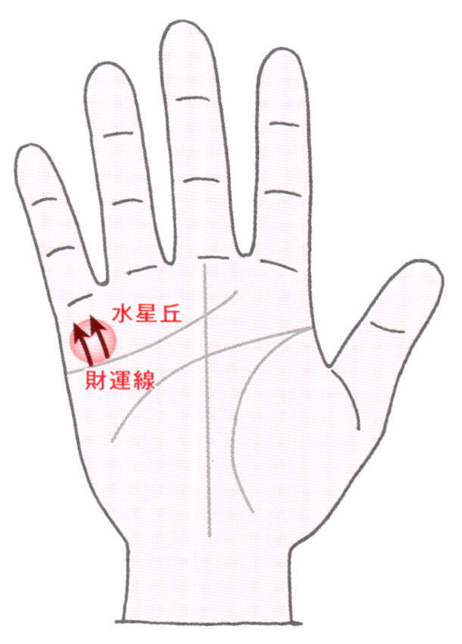

水星丘の真ん中に濃くてしっかりとしたシンプルな線を1、2本描く

濃く真っ直ぐな財運線を1，2本描くことで、堅実な金運を呼び込みます。水星丘の中央に線を描くと貯金上手に、薬指寄りは投資運用で金運アップ。

金運UPアドバイス

水星丘のストレッチ（P80-81③）で、ハリやツヤのある水星丘の発達を促すことでさらに金運がアップします。ただ、発達過度だとお金に執着するので注意！

最高の金運上昇運を 手に入れる

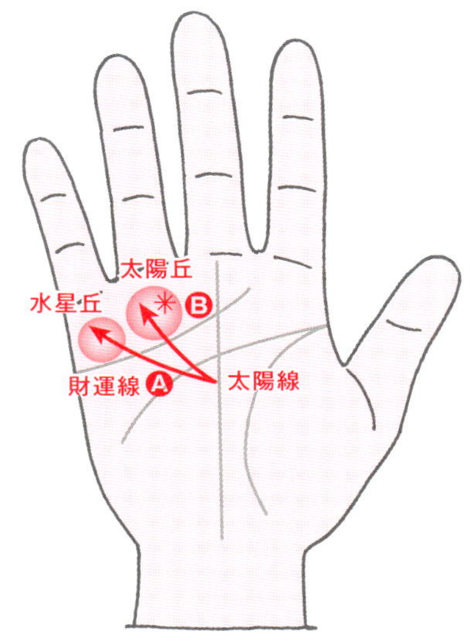

Ⓐ 財運線を太陽線、運命線と合流するように描く
Ⓑ 太陽丘に星マーク✳を描く

Ⓐ お金を貯める「財運線」とお金を生み出す「太陽線」、運命線が合流した「覇王線」は、最強の金運をもたらします。

Ⓑ 太陽丘に星マークを描くと予想外の入金や仕事の成功で金運が上昇。

金運UPアドバイス

太陽線と財運線の合流点は、運命線の位置をチェック（P61「運命線の年齢の目安」参照）してから描きましょう。水星丘、太陽丘はストレッチ（P80-81③④）を。

開運ハンドライン術　自力でお金を稼ぐ財運線の描き方

投資でお金を増やす才能を呼び込む

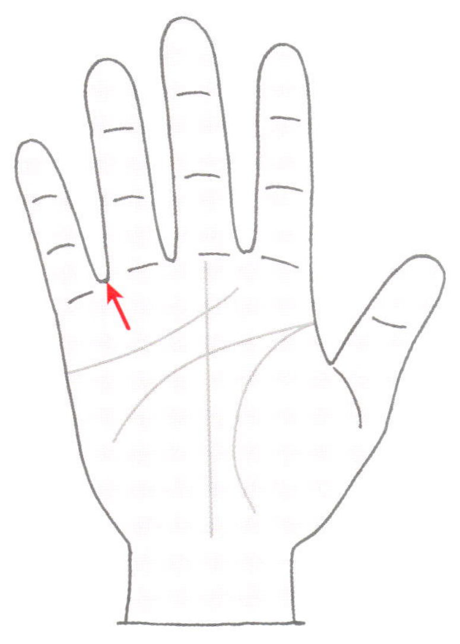

終点が小指と薬指の間にのびる線を描く

小指と薬指の間にある財運線は、お金を投資運用する才能を使って財産を増やします。

金運UPアドバイス

はっきりとした線を1本描くこと。複数の線を描いてしまうと資産を動かしすぎて失敗する可能性あり。

鋭い金銭感覚や才能でお金と縁を結ぶ

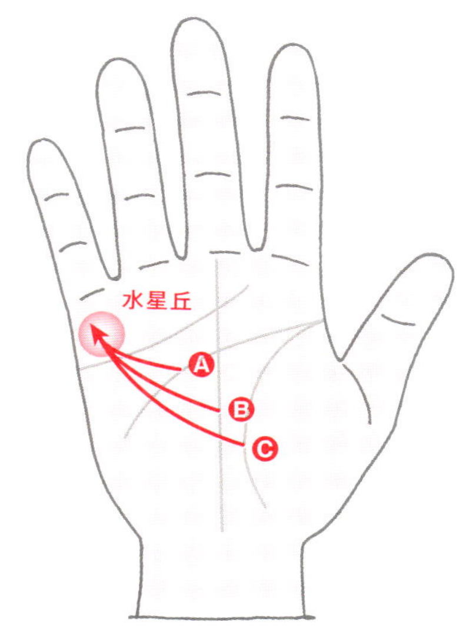

A 知能線から水星丘にのびる線
B 運命線から水星丘にのびる線
C 生命線上から水星丘にのびる線

A 鋭い金銭感覚や経済観念でお金との縁を呼び込みます。

B 自分の才能や能力を発揮してお金を呼び込みます。

C 向上心を持って、自分の努力でお金を呼び込みます。

金運UPアドバイス

元々ある財運線が薄い場合は濃く、ない場合は1本を濃くはっきり描きましょう。

開運ハンドライン術

協力・支援で財を成す 太陽線・財運線の描き方

配偶者の支援や協力を得る

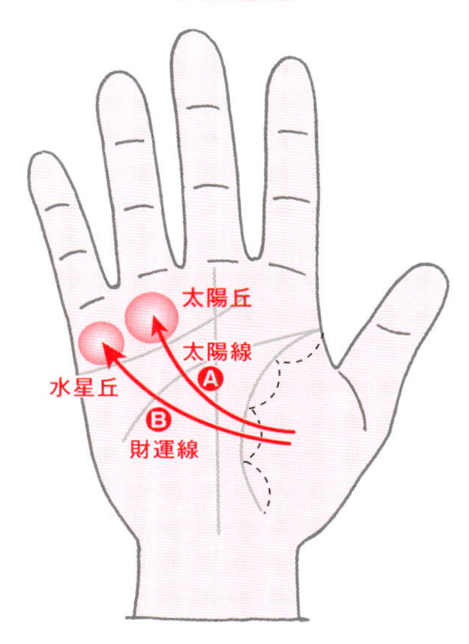

A 生命線の3/4の内側から太陽丘にのびる線を描く
B 生命線の3/4の内側から水星丘にのびる線を描く

A B とも夫婦で一緒に仕事をするなど、配偶者や仕事のパートナーによって金運を呼び込みます。

金運UPアドバイス

A しっかりと太陽丘に届く太陽線を描くこと。
B 水星丘に届く財運線を濃く描くこと。

親や身内からの支援や協力

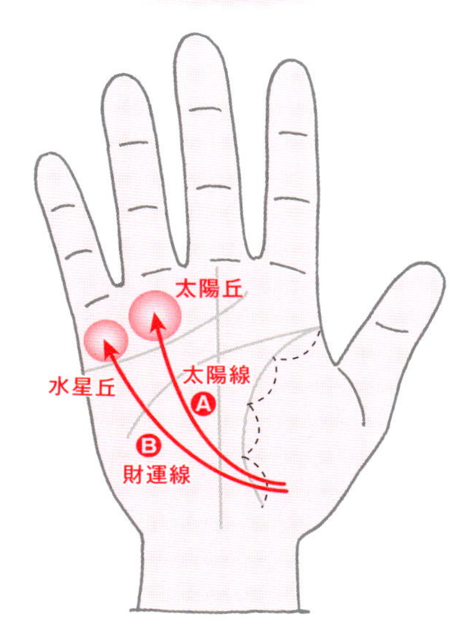

A 生命線の4/4の内側から太陽丘にのびる線を描く
B 生命線の4/4の内側から水星丘にのびる線を描く

A B とも両親や親族などの身内から援助や恩恵を受けます。たとえば財産相続や事業の継承などでお金と縁ができます。

金運UPアドバイス

両親や親族など、周囲に感謝する気持ちを込めて、財運線は太く濃く、太陽線ははっきりとした線で描きましょう。

開運ハンドライン術

協力・支援で財を成す 太陽線・財運線の描き方

玉の輿や逆玉で財を成す

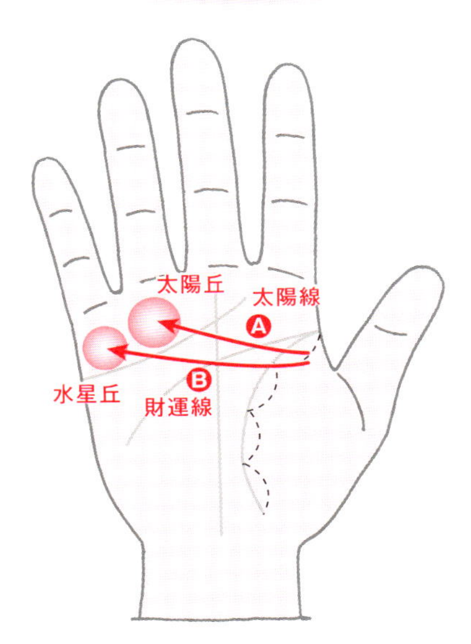

A 生命線の1/4の内側から太陽丘にのびる線を描く

B 生命線の1/4の内側から水星丘にのびる線を描く

A 年上の異性をひきつける魅力を持ち、協力や支援を得て金運を招きます。

B 年上の異性、たとえば身近なら祖父母、伯父伯母、上司などから目をかけてもらえ、金運を呼び込みます。

金運UPアドバイス

A しっかりと太陽丘に届く太陽線を描きましょう。

B 水星丘まで届く線を一直線に描きましょう。

地位や財力のある協力者を得る

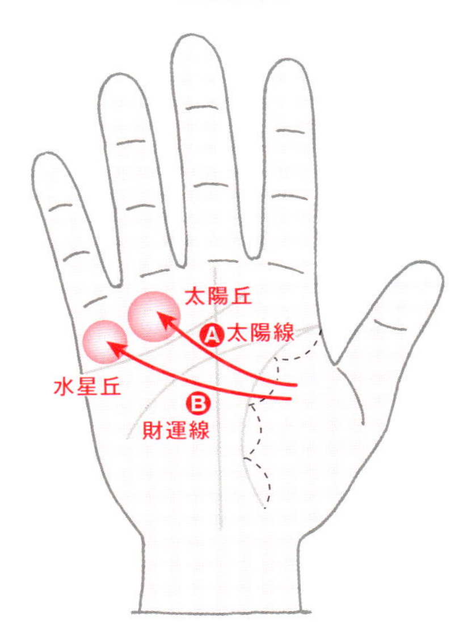

A 生命線の2/4の内側から太陽丘にのびる線を描く

B 生命線の2/4の内側から水星丘にのびる線を描く

A 社会的な立場にある人からの協力を得て金運アップ。

B 地位や財力のある人からの後ろ盾で金運を呼び込みます。

金運UPアドバイス

A しっかりと太陽丘に届く太陽線を描きましょう。

B 水星丘まで届く財運線を一直線に描きましょう。

「幸運をつかむ」ハンドライン術

仕事運

生活に必要な収入を得るための仕事。「出世したい」「自分の能力や才能を発揮したい」など、仕事を充実させるハンドラインを描いて、仕事運をアップさせましょう。

仕事の才能・能力を開花させる「線」と「丘」

仕事で開運するための能力や才能、得意分野を現す「知能線」

「知能線」は、仕事の能力や才能、得意分野を表し、仕事運上昇のメイン線になります。

知能線がのびる「方向（月丘・第二火星丘・水星丘・地丘）」では、仕事の能力や才能、仕事への考え方を、知能線が始まる「起点の位置」は、仕事での行動力を表しています。

四大基本線などで仕事運をサポート 線の終着点「丘」が運気をアップ

仕事運のメイン「知能線」をサポートする線は5本あります。仕事へのモチベーション、開運時期を表すのが**「運命線」**。**「感情線」**は、仕事への情熱や精神力を表します。仕事を達成に欠かせないバイタリティを表すのは**「生命線」**。さらに、仕事で収入を得る方法を表す**「太陽線」**、自力で稼ぐ能力、経済感覚を表す**「財運線」**が仕事運アップをサポートします。

また、これらの線を発達した周辺の丘がバックアップしてくれます。

仕事運アップ ハンドラインを描く手順

① 基本のストレッチ＆マッサージ （P20-25）

② 仕事運アップのストレッチ＆マッサージ （P90-91）

③「つかみたい仕事運」を明確に認識する

④ 描き込むハンドラインを選ぶ

⑤ 目立たない色のペンで線を描き、ツメなどでなぞる

仕事運で幸運をつかむ「線」と「丘」

「仕事運」にかかわる知能線・運命線・生命線・感情線とそれぞれの線の終点の丘の位置を確認、さらにハンドラインを描く方向を覚えましょう。

知能線

仕事の能力や才能

位置
親指と人差し指のつけ根の間から手のひらを横切ってのびる線

感情線

仕事への情熱、精神力

位置
小指の下から人差し指に向かってのびる線

生命線

仕事での心身のバイタリティ

位置
親指と人差し指のつけ根の間から手首に向かってのびる線

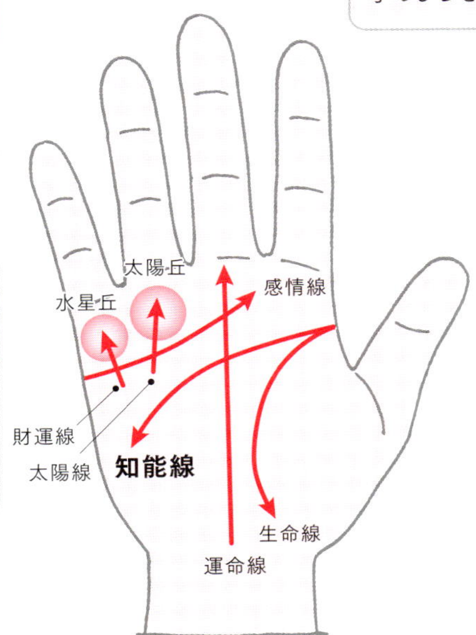

仕事運が
アップすると
毎日の生活にも
ハリが出るにゃん

財運線

自力で稼ぐ能力、経済感覚

位置
手のひらのさまざまなところから水星丘に向かってのびる線。線が現れない場合もあります

太陽線

仕事で収入を得る方法

位置
手のひらのさまざまなところから太陽丘に向かってのびる線。線が現れない場合もあります

運命線

仕事へのモチベーション、開運時期

位置
手のひらのさまざまなところから中指のつけ根に向かってのびる線。線が現れない場合もあります

仕事運アップのストレッチ＆マッサージ

仕事運をつかむメインの「知能線」を中心に「線」と「丘」の周辺をストレッチ＆マッサージをして、仕事運をアップしましょう（両手で1回3セットを目標に）。

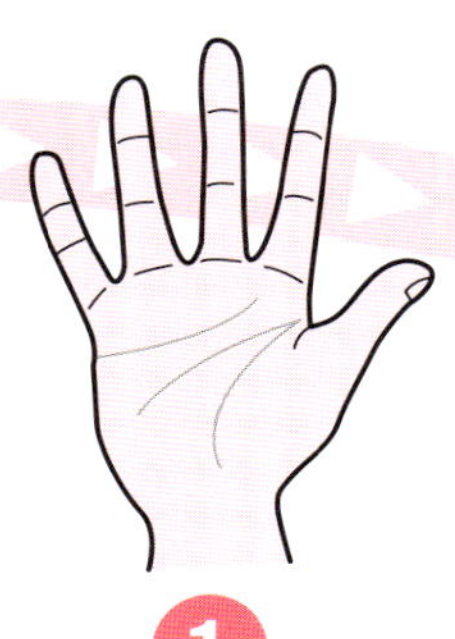

1

手のひらを反らせて、指の間をできる限り開く

2

薬指だけを曲げる

3

小指だけを曲げる

親指だけを曲げる

5

手のひらを上に向け、もう一方の手の親指を感情線と知能線の間に置き、内側に向かって押す

① 手のひらを上に向け、もう一方の手の親指を 知能線の下あたりに置く
② 月丘にそってずらしながら押す

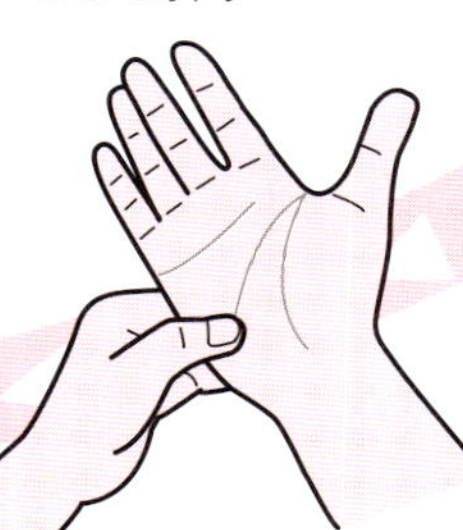

親指以外の指を折り、力を入れて握る

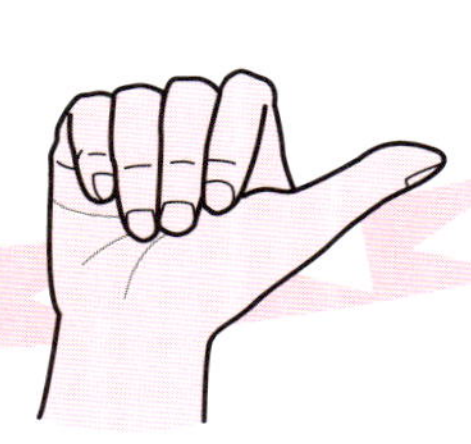

● 時間のあるときには、第1章の「基本のストレッチ＆マッサージ」（P20-25）を行ってから、続いて行うと効果的です。
● 時間のない時は、メインの「知能線」にかかわる5-7-10-11を中心にストレッチ＆マッサージを行いましょう。

手のひらを上に向け、親指と人差し指のつけ根あたりをもう一方の手の親指で押す

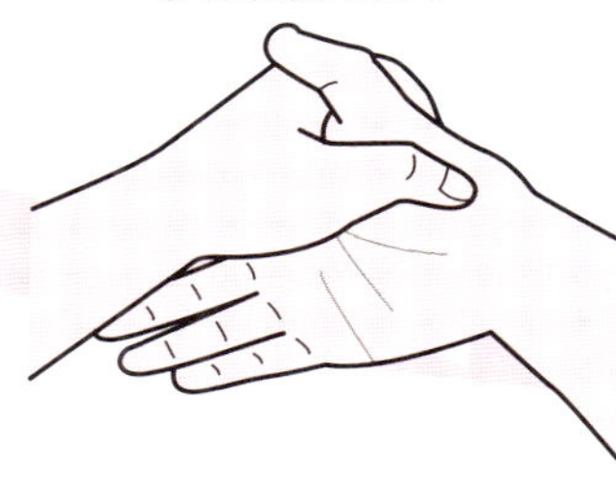

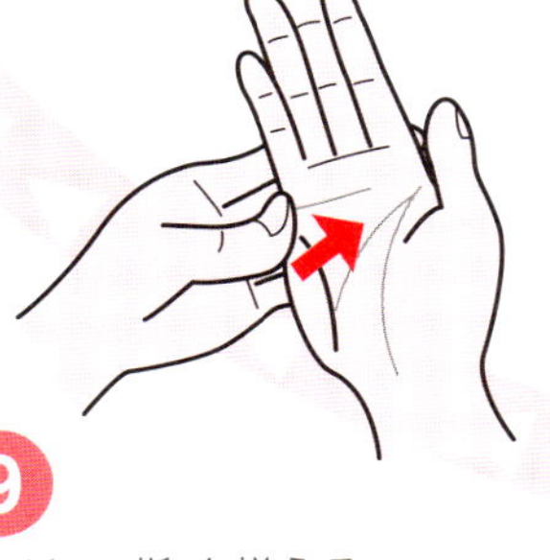

9

① 手のひらを上に向けて、指 を揃える
② 小指のつけ根部分に、もう一方の手の親指を当て手のひらに向かって押す

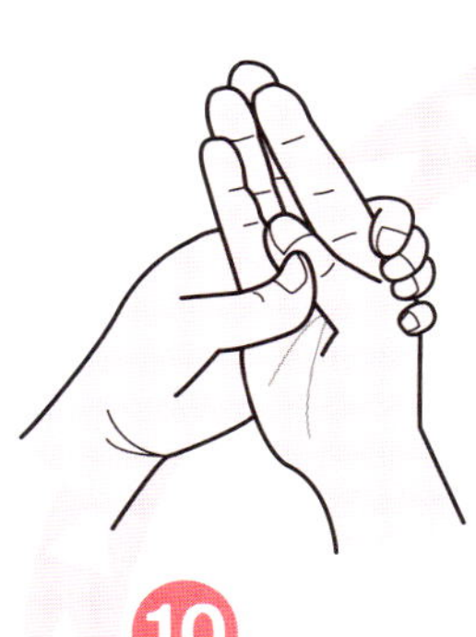

10

① 手のひらを上に向けて、親指と小指を合わせるようにぼめる
② すぼめた手をもう一方の手でつかむ

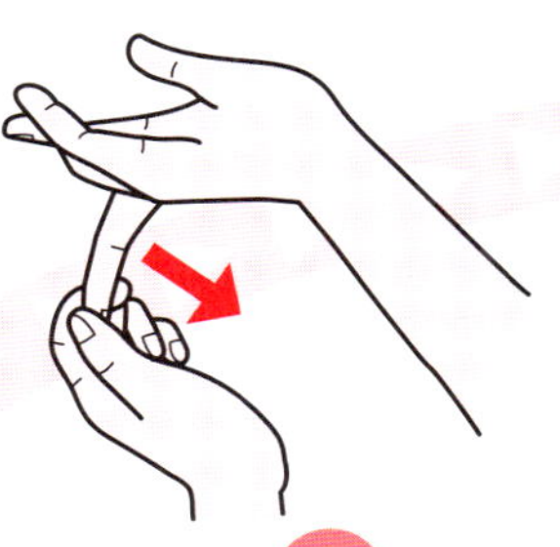

① 手のひらを上に向け、もう片方の手で指の先を手の甲へ向けてそらし、ゆっくりと伸ばす。
② 各指で行う

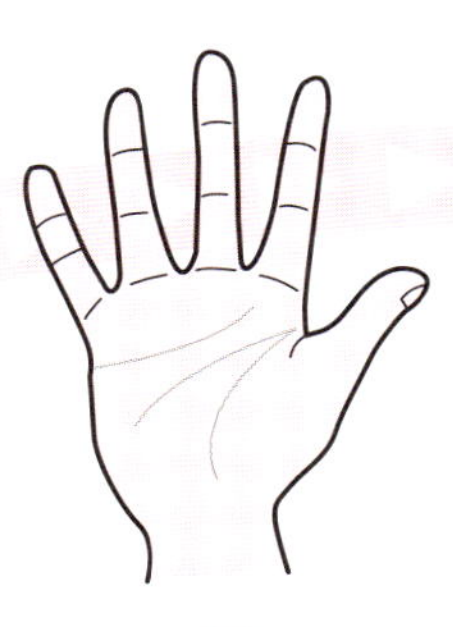

12

❶に戻り、3セット行う

性格
金運
仕事運
健康運
恋愛運
結婚運

開運ハンドライン術

仕事での行動力・思考力をのばす知能線の描き方

即断即決か、熟考型か…思考力・行動力を身につける

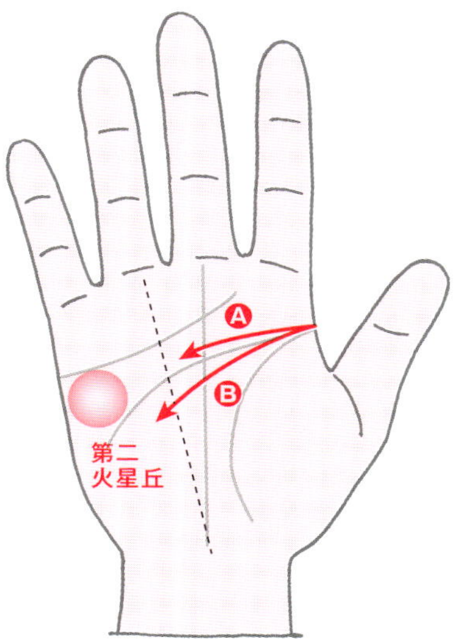

A 知能線の終点を薬指の延長線よりも内側に描く

B 知能線の終点を薬指の延長線よりも外側に描く

A 即断即決し、仕事をテキパキとスピーディに処理する能力を極めます。

B 熟考してから計画的に行動し、的確に仕事を成し遂げる能力を極めます。

仕事運UPアドバイス

A 第二火星丘に向かう直線を描けば、理論的な思考で成功の確率アップ。

B 集中力と忍耐力があり、長期のプロジェクトなどの仕事におすすめ。

大胆か、慎重か…行動力を手に入れる

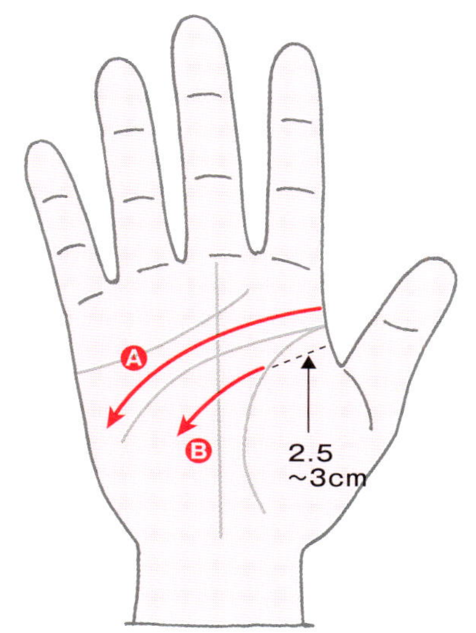

A 知能線の起点を生命線から離して描く

B 知能線の起点を生命線の途中から離して描く

A 大胆な発想や行動力、楽天的ですが、既成概念にとらわれない自由で柔軟な発想を手に入れられます。

B 用心深く堅実に利益を上げるスキルを得て、仕事運を上昇させます。

仕事運UPアドバイス

A 生命線から10㎜以上離れると慎重さに欠けることになるので注意！

B 生命線から3㎝以上離れると行動力に歯止めがかかるので注意！

開運ハンドライン術

仕事で才能・能力をのばす 知能線の描き方

優れた実務能力、理論的な思考を身につける

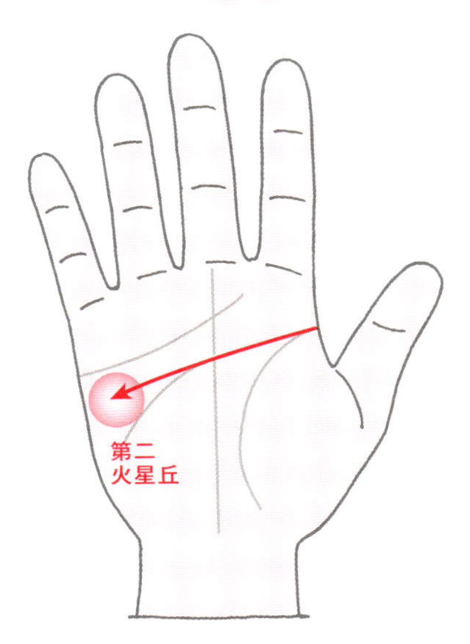

知能線の終点を第二火星丘にのびるように描く

優れた実務的な能力、論理的な思考力を持ち、効率よく仕事をこなす才能や能力が身につきます。

仕事運UPアドバイス

お金や法律を扱う職業、医療や営業などの仕事を目指す、あるいはこの仕事に就いていて運気アップしたい人にオススメです。

美的センス＆クリエイティブな才能をのばす

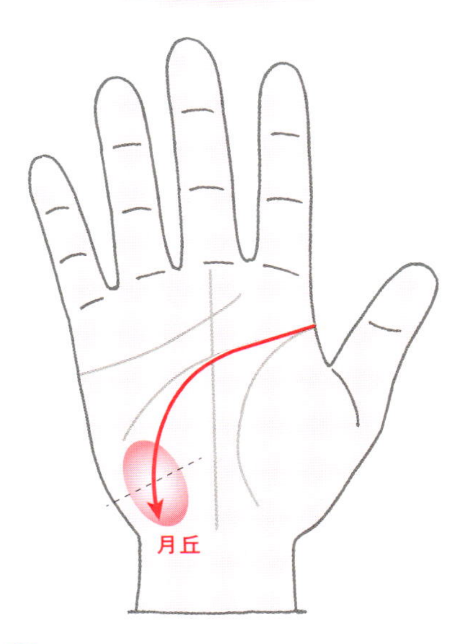

知能線の終点を月丘の中央または下部分に描く

柔軟な思考、美的センスや創造力、独創性などの才能をもたらします。終点が月丘の上部なら柔軟な思考の管理職、中部から下部の終点はクリエイティブな才能で仕事運アップ！

仕事運UPアドバイス

柔軟な思考の管理職、デザイナーや芸術家など、なりたい自分を手に入れるには積極性も大切。知能線の起点を生命線から3㎜ほど離して描くと前向き思考に。

開運
ハンドライン術

仕事で才能・能力をのばす 知能線の描き方

複数の仕事をマルチな才能でこなす!

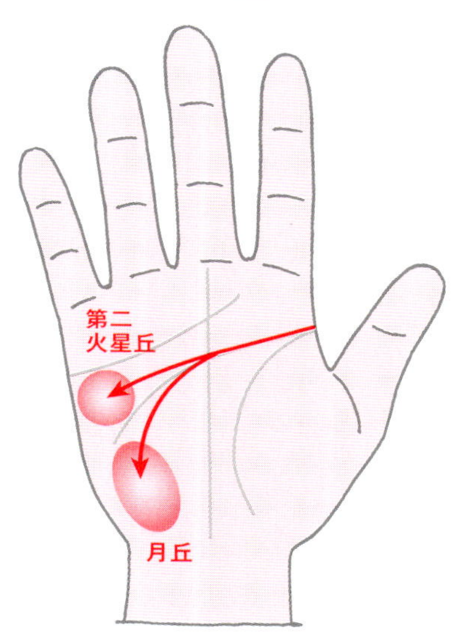

知能線または知能線の支線が一方が第二火星丘に、もう一方が月丘にのびるように描く

現実主義と豊かな創造性、社会的安定感と創作意欲といった異なった才能を活かして複数のことを同時に行う才能でマルチに活躍します。

仕事運UPアドバイス

第二火星丘の線を濃く描けば、現実主義に、月丘の線を濃く描けば創造性が強くなります。

経営や起業に必要な経済観念や社交性を手に入れる

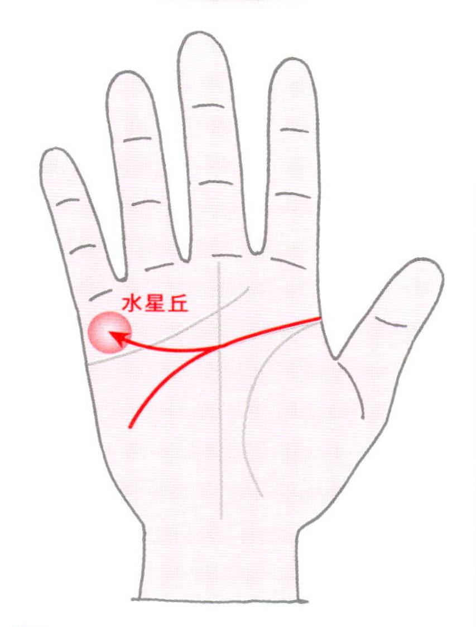

知能線の途中から終点が水星丘にのびる支線を描き足す

水星丘にのびる線は、起業や経営者での成功、お金儲けの才能やコミュニケーション能力をもたらしてくれます。

仕事運UPアドバイス

強くはっきりと描くと経営で成功運アップ、弱く薄い線は革新的経営者に。水星丘に届かない場合は、金銭に無頓着になる傾向があるので注意!

開運ハンドライン術

仕事での気力・体力をのばす感情線・生命線の描き方

気力・体力の充実を手に入れる

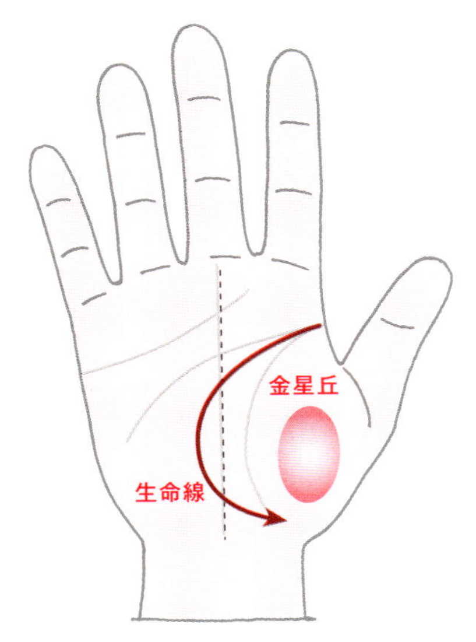

生命線の曲線を中指の延長線よりも外側に濃くはっきりと描く

健康的で体力、気力とも充実してエネルギッシュに行動し、心も前向きで明るく陽気。幸運を引き寄せる相です。

仕事運UPアドバイス

金星丘のストレッチ（P90・91④⑧⑩）を行って丘が発達すると、さらにパワーアップします。

強い精神力を手に入れる

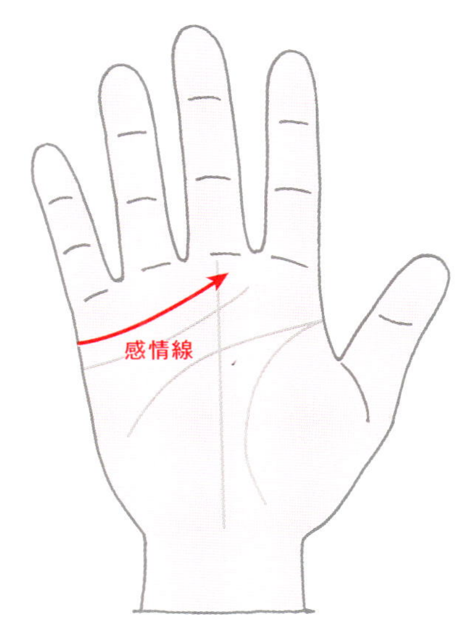

感情線に並行した線（副感情線）をもう1本描く

「二重感情線」（感情線「本数」P58参照）と呼ばれ、2つの才能があり、仕事への情熱が2倍。また、気力と粘り強さ、強い意志、度胸を持って、困難や障害を乗り越える強靭な精神力を手に入れることができます。

仕事運UPアドバイス

元の感情線に並行していない短い線は、二重感情線とは呼びません。小指の端を起点に、感情線に並行するはっきりした線を描きましょう。

開運
ハンドライン術

仕事での自分力をのばす
太陽線・財運線の描き方

高い目標を掲げて成功を手に入れる

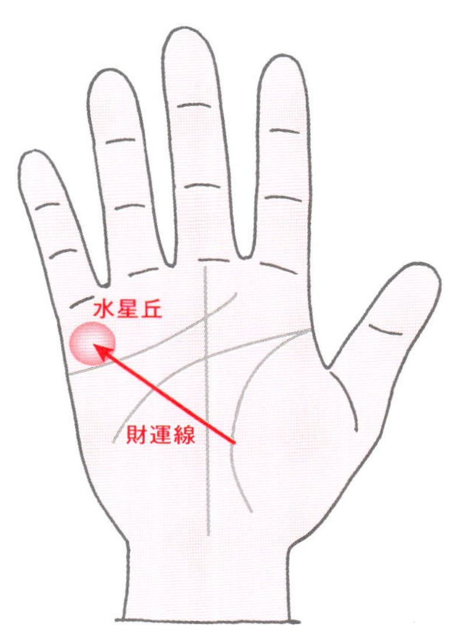

生命線が起点の財運線を水星丘に届くように描く

向上心を持って努力を重ね、自分自身の才能と能力を最大限活用して仕事を成功させる運を運んできます。

仕事運UPアドバイス

長ければ長いほどよいので生命線の下を起点に、はっきりとのびる1本線を描きましょう。

自分の力を最大限発揮して成功する

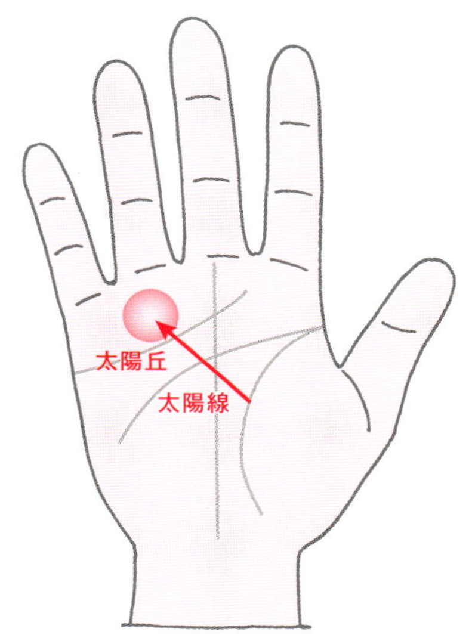

生命線が起点の太陽線を太陽丘に届くように描く

人一倍の努力、強い信念を持って高い目標を達成していきます。「お金を生み出す線」といわれ、自分の才能や能力で財を成し、自己力で事業を成功させます。

仕事運UPアドバイス

はっきりと濃い線であれば、お金も人との縁も開運するので仕事運も上昇！

開運ハンドライン術

仕事で実力を発揮して成功する 太陽線・財運線の描き方

才能や能力、成果が認められる仕事とめぐり合う

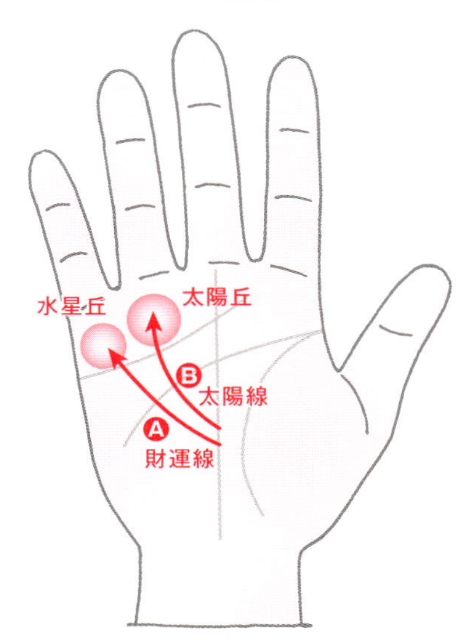

A 運命線が起点の財運線を水星丘に届くように描く
B 運命線が起点の太陽線を太陽丘に届くように描く

A 自分の才能や能力を発揮できる仕事を見つけて成功をつかみます。
B 努力が認められ、評価がアップ！自分が手がけている仕事で出世する運を表します。

仕事運UPアドバイス

AB とも、開運する時期は、財運線、太陽線の始まる位置を運命線で確認（P61「運命線の年齢の目安」参照）してから描きましょう。

転職して自分にあった仕事とめぐり合う

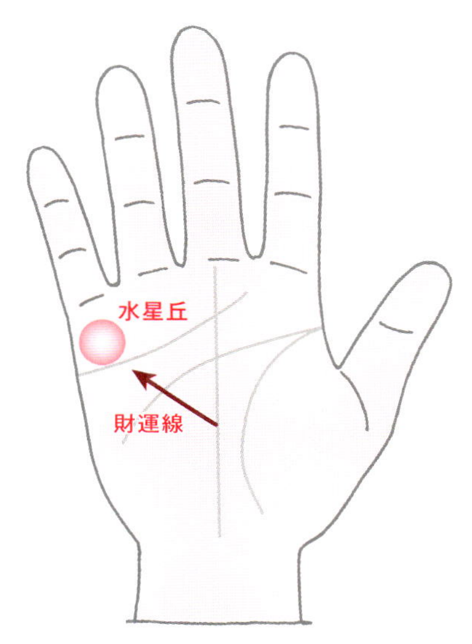

運命線が起点で水星丘に届かない濃い財運線を描く

転職して自分にあった仕事を見つけたい人におすすめです。

仕事運UPアドバイス

転職時期は、財運線の始まる位置を運命線で確認（P61「運命線の年齢の目安」参照）してから描きましょう。

開運
ハンドライン術

仕事での**協力・支援**を得る**運命線**の描き方

さまざまな人の協力・支援で運気アップ

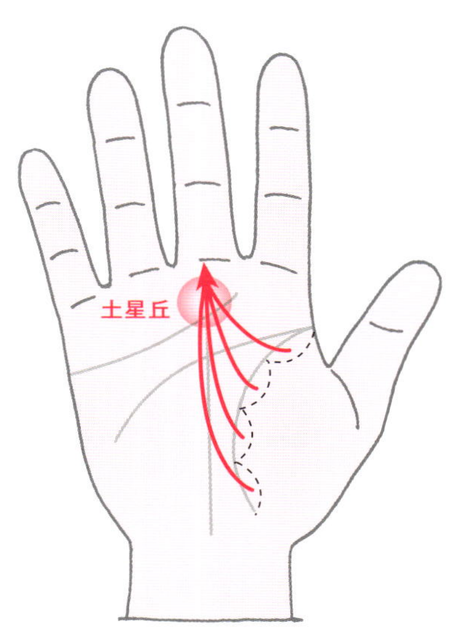

生命線の内側が起点の運命線を土星丘に届くように描く

上から1/4は年上の異性から、2/4は有力者から、3/4は配偶者から、4/4は身内や親からの協力や支援で仕事運開運。

仕事運UPアドバイス

自分にとって協力や支援を受けたいと願う相手の位置から、濃くはっきりした線を描きましょう。

2本の起点が違う運命線で最強仕事運をゲット!

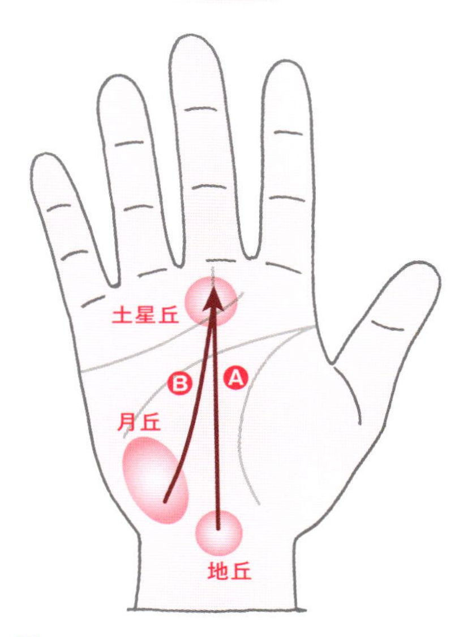

A 地丘が起点の運命線を土星丘に届くように濃く描く
B 月丘が起点の運命線を土星丘に届くように濃く描く

Aは自分の力と地丘パワーの先祖の加護で最強の仕事運に。
Bは人間的な魅力で周囲の人からの応援を得て仕事を成功させます。

仕事運UPアドバイス

ちなみに、地丘が起点の濃く真っ直ぐな運命線が中指まで届く場合は、努力が実を結び天下を取る勢いで成功する「天下筋」(P61コラム参照)といいます。

開運ハンドライン術

仕事での協力・支援を得る太陽線・財運線の描き方

有力者のサポート、ビジネスパートナーの協力で運気上昇

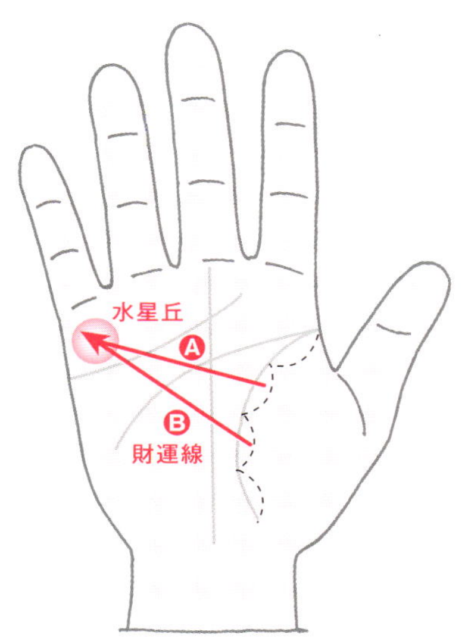

A 生命線内側の2/4が起点の財運線を水星丘に届くように描く
B 生命線内側の3/4が起点の財運線を水星丘に届くように描く

A 2/4は努力が認められて有力者から才能をのばすサポートを受けられます。
B 3/4はよきパートナーに支えられて仕事運が上昇します。

仕事運UPアドバイス

今あなたに必要な線を見極めて、しっかり水星丘に届くはっきり濃く描きましょう。

援助運、支援運を呼び込んで仕事運開運

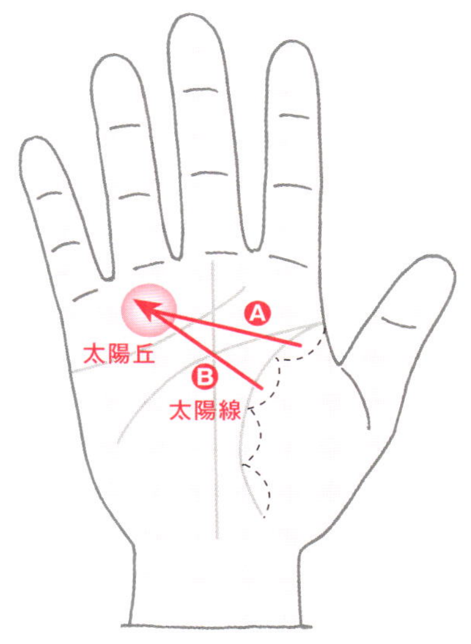

A 生命線内側の1/4が起点の太陽線を太陽丘に届くように描く
B 生命線内側の2/4が起点の太陽線を太陽丘に届くように描く

A 1/4は年上の異性からの援助運。
B 2/4成功者からの支援運。
AB とも助言や引き立てを得られて運気アップ。

仕事運UPアドバイス

今あなたに必要な支援や援助を見極めて、しっかり太陽丘に届くはっきりした濃い直線を描きましょう。

「幸運をつかむ」ハンドライン術

健康運

仕事をするにも、恋愛をするにも、まず健康であることが第一条件です。健康運をアップさせるハンドラインを描いて、ハツラツとした毎日を送りましょう。

健康な心身を整える「線」と「丘」

健康状態や生命力などを表す「生命線」

メインの線である**「生命線」**が、濃くはっきりきりと手のひらに現れている人は「スタミナがあり、心身ともに健康」といわれています。

生命線の「長短」は、免疫力や抵抗力、バイタリティを表し、長いほどエネルギッシュだとされています。生命線の「曲線」は、スタミナや気力の強弱を表し、曲線が大きいほどスタミナ、気力が充実しています。

健康運をサポートする「知能線」「感情線」発達した「金星丘」で一層健康に

「知能線」は、計画的に健康を自己管理して健康運をサポートします。

「感情線」は、精神的な強さをもたらし、あなたの健康を支えてくれます。

また、生命線に深くかかわる**「金星丘」**は、体力や生命力を表します。丘のストレッチを日常的に行うことで発達し、健康運アップに貢献してくれます。

健康運アップ
ハンドラインを描く手順

① 基本のストレッチ＆マッサージ（P20-25）
② 健康運アップのストレッチ＆マッサージ（P102-103）
③「つかみたい健康運」を明確に認識する
④ 描き込むハンドラインを選ぶ
⑤ 目立たない色のペンで線を描き、ツメなどでなぞる

健康運で幸運をつかむ「線」と「丘」

「健康運」にかかわる生命線・知能線、感情線、そして金星丘の位置を確認、さらにハンドラインを描く方向を覚えましょう。

生命線

健康状態やスタミナ

位置
親指と人差し指のつけ根の間から手首に向かってのびる線

感情線

精神面のタフさ

位置
小指の下から人差し指に向かってのびる線

感情線
知能線
金星丘
生命線

知能線

自己で健康管理

位置
親指と人差し指のつけ根の間から手のひらを横切ってのびる線

金星丘

健康状態、体力、バイタリティ

位置
親指のつけ根にある丘

丘の発達
エネルギッシュで活力に満ちあふれて健康

健康運は、生命線がメインにゃ。毎日を健康で元気に過ごせるように、ラッキーラインを描くにゃん!

健康運アップのストレッチ＆マッサージ

健康運をつかむメインの「生命線」を中心に「線」と「丘」の周辺をストレッチ＆マッサージして、健康運をアップしましょう（両手で1回3セットを目標に）。

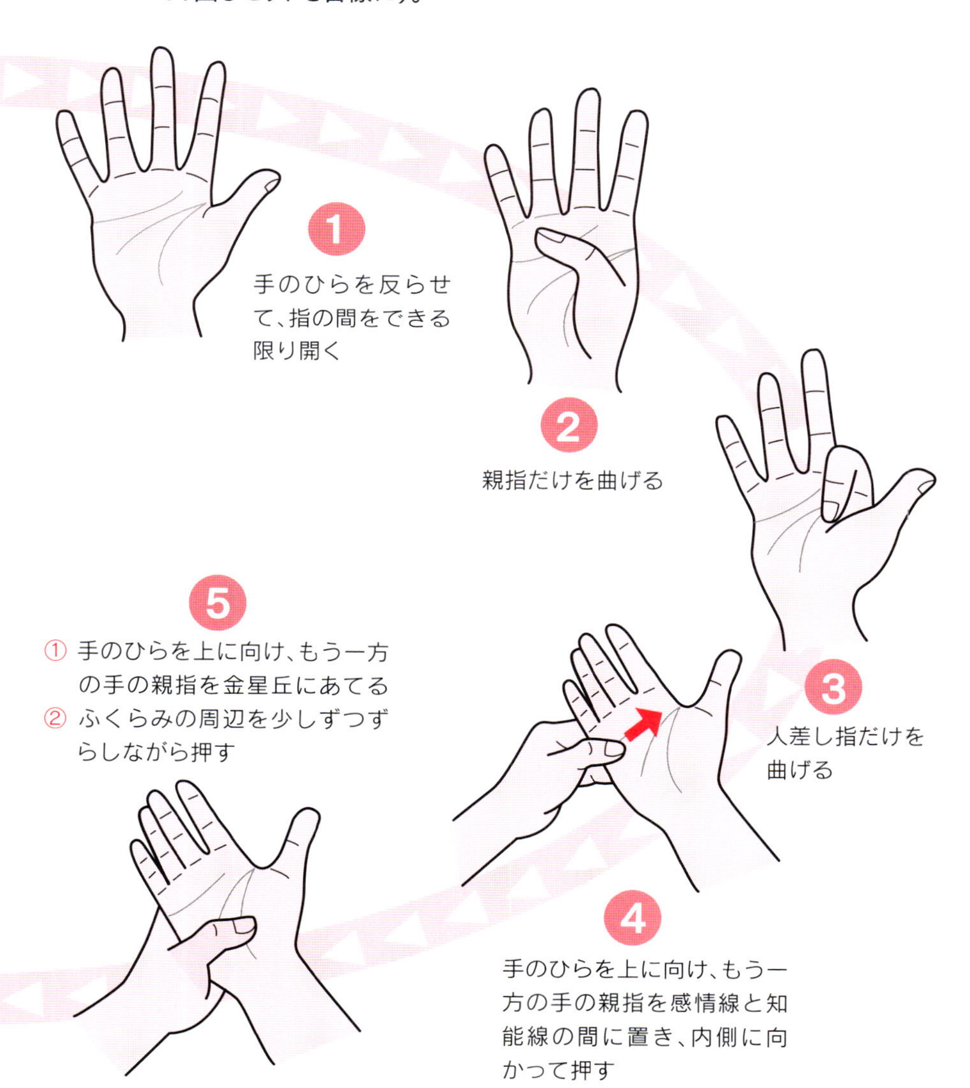

1
手のひらを反らせて、指の間をできる限り開く
2
親指だけを曲げる
3
人差し指だけを曲げる
4
手のひらを上に向け、もう一方の手の親指を感情線と知能線の間に置き、内側に向かって押す
5
① 手のひらを上に向け、もう一方の手の親指を金星丘にあてる
② ふくらみの周辺を少しずつずらしながら押す

● 時間のあるときには、第1章の「基本のストレッチ＆マッサージ」（P20-25）を行ってから、続いて行うと効果的です。
● 時間のない時は、メインの「生命線」にかかわる2-5-6-8を中心にストレッチ＆マッサージを行いましょう。

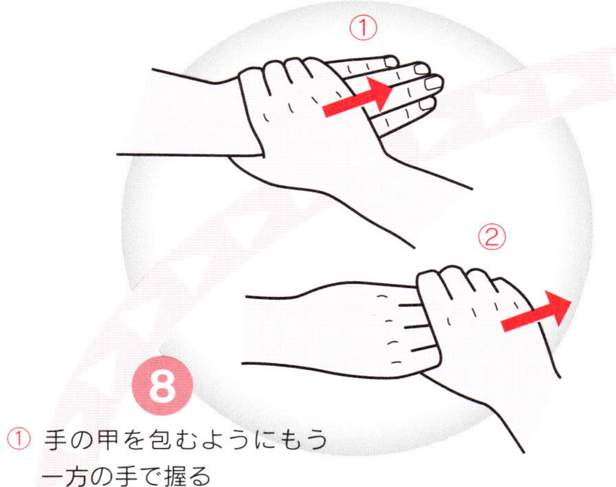

8

① 手の甲を包むようにもう一方の手で握る
② 手首から指先に向けて、位置をずらしながらやさしく締めるように握る

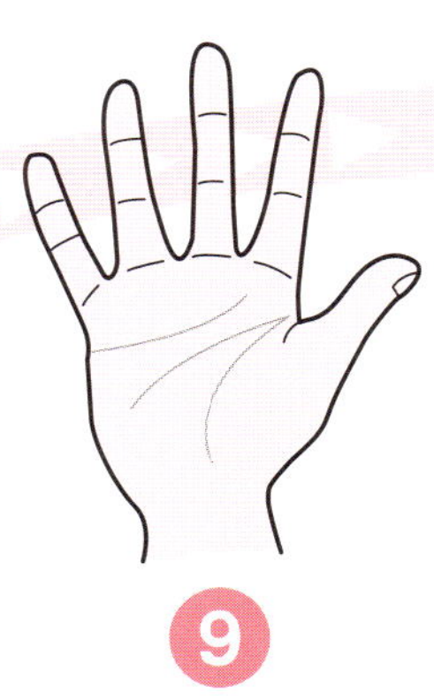

9

❶に戻り、3セット行う

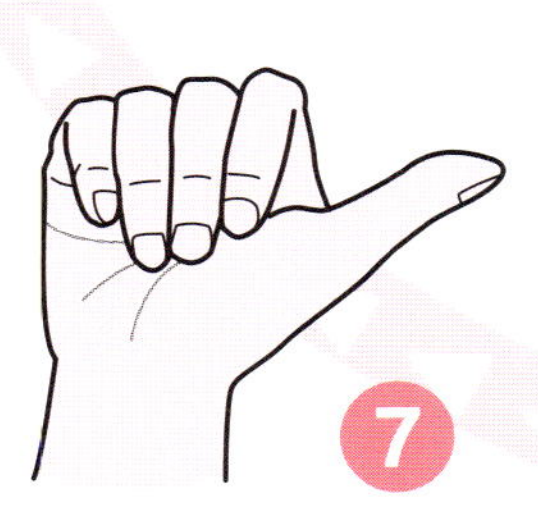

7

親指以外の指を折り、力を入れて握る

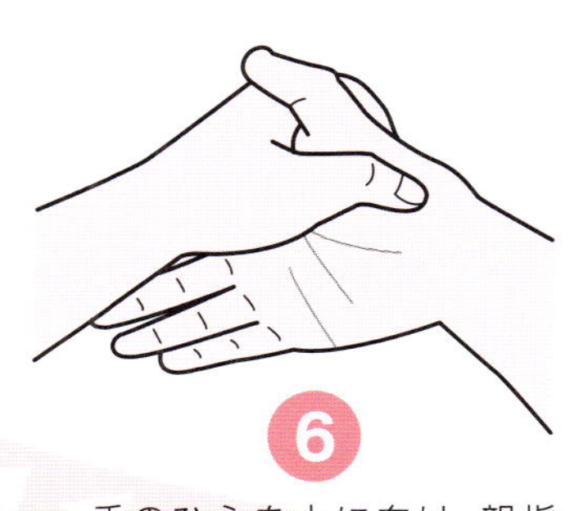

6

手のひらを上に向け、親指と人差し指のつけ根あたりを、もう一方の手の親指で押す

開運ハンドライン術

健康状態を良好に保つ生命線の描き方

充実した体力、精神力を手に入れる

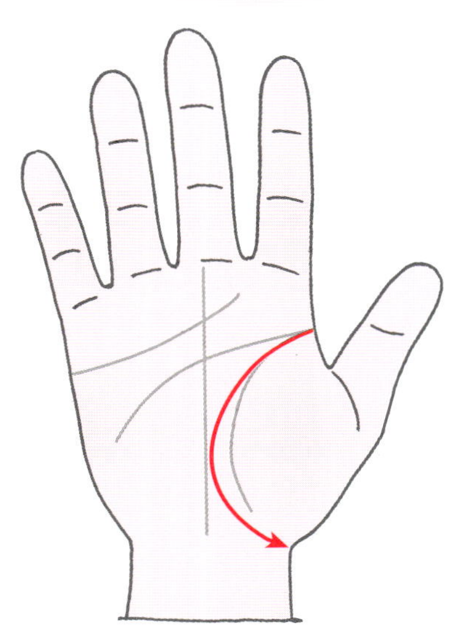

生命線の終点を手首のつけ根に届くように長く描く

手首の付け根まで伸びる長い生命線は、肉体的にも精神的にも充実した状態で、病気への抵抗力や免疫力もアップさせます。

健康運UPアドバイス

生命線を長く描くときに、できる限り直線的ではなく曲線で描くようにしましょう。

良好な健康状態を保ちたい

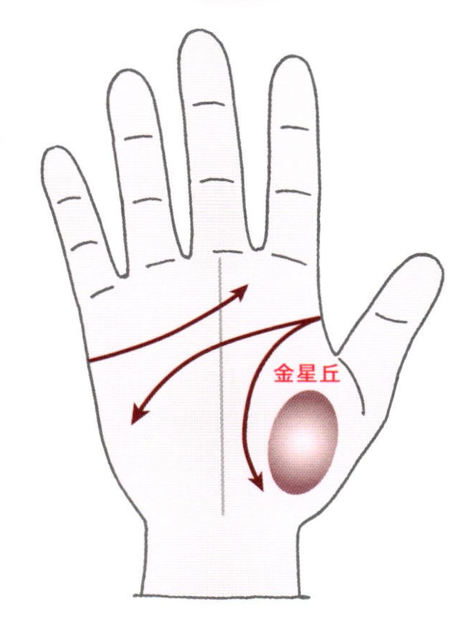

生命線、知能線と感情線をなぞって濃くはっきりとした線になるように描く

心身ともに生命エネルギーが満ちていて、元気ハツラツな状態の線です。

健康運UPアドバイス

色ツヤよく、弾力のある金星丘なら、さらに健康運アップ。金運アップのストレッチをしましょう。

開運ハンドライン術

充実した体力、バイタリティを維持する生命線の描き方

2人分のタフさ＆バイタリティを手に入れる

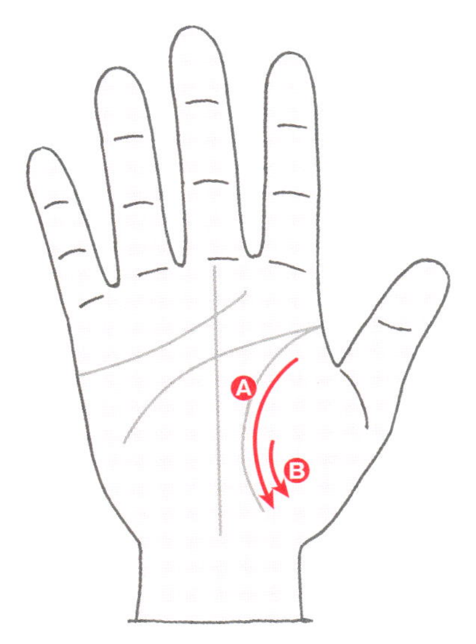

Ⓐ 生命線の内側に生命線と平行した線をもう1本描く
Ⓑ 生命線の内側にそって短い線を描く

Ⓐ 2本ある生命線は「二重生命線」。2人分のバイタリティ、タフさを表します。
Ⓑ この線も「二重生命線」（P52コラム参照）。線を描いた起点と終点でバイタリティとタフさが一時的に強化されます。

健康運UPアドバイス

Ⓐ 生命線と同じ濃さや長さで描くと前向きな性格、根気強さもプラス。
Ⓑ 位置は、生命線の年齢（P52「生命線の年齢の目安」参照）を確認して描きましょう。

バイタリティ溢れる元気さを手に入れる

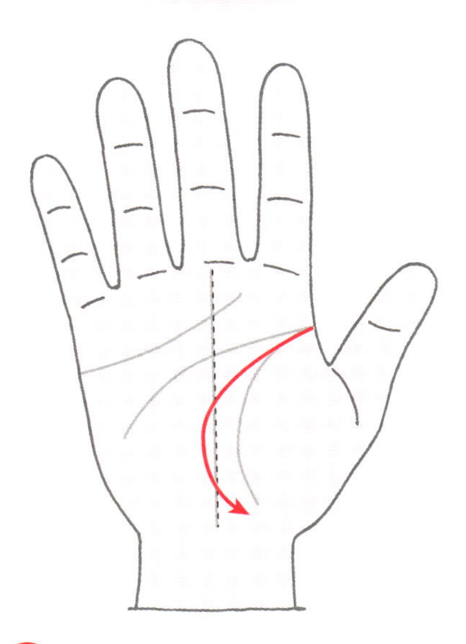

生命線の曲線が中指の延長線よりも外側に張り出すように描く

生命線の曲線が張り出しているほど、体力があり、バイタリティに溢れて健康運が上昇します。

健康運UPアドバイス

体力や気力が低下していると思うときには、手首に届く長めの線を引きましょう。

開運ハンドライン術

健康管理や精神力&体力を強化する知能線・感情線の描き方

強い精神力&パワフルな体力をゲット!

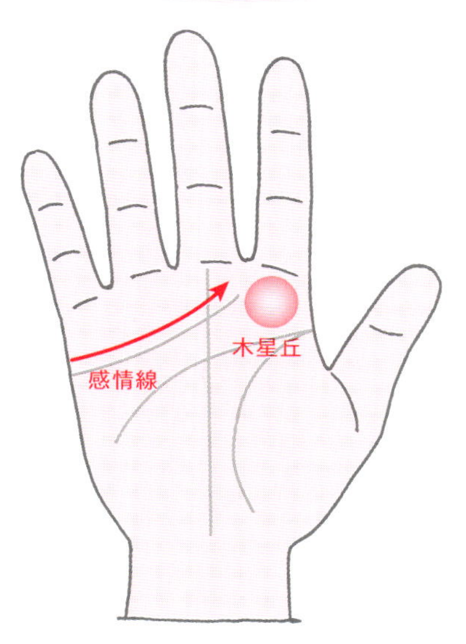

感情線に沿って、もう1本の線を描く

感情線が2本ある「二重感情線」(P58「本数」参照)は、逆境に強く、気持ちの切り替えが早い精神面がタフなことを表します。

健康運UPアドバイス

線が木星丘に届くように描くと気持ちがいつまでも若々しく、健康で長生きに。

体調管理で健康運ゲット!

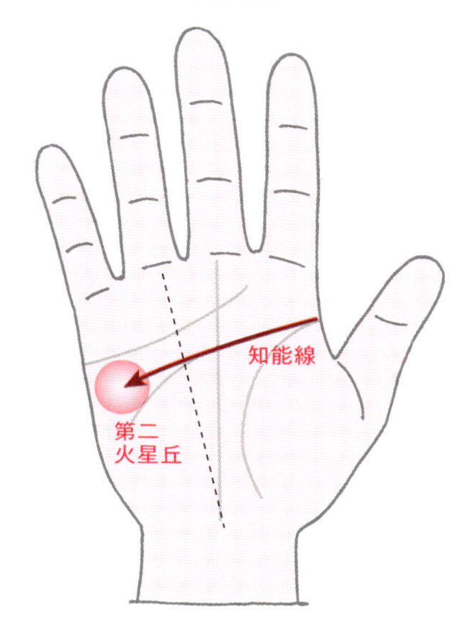

知能線の終点を薬指の延長線よりも外側に、長く濃くはっきりと描く

自分の健康をコントロールできるようになります。健康管理の苦手な人におすすめの線です。

健康運UPアドバイス

知能線の終点を第二火星丘に届くように描くことで、計画的な健康管理ができるようになります。

プラス1 健康運の警告サイン 特徴と対処法

手のひらに現れる体調の警告や注意を促すサインです。
これらの線は体調がよくなれば消えます。
線の特徴や対処法を知っておきましょう。

＊これらの線があった場合は、病院を受診することをおすすめします

ストレス線

ストレス線は、生命線の内側から手のひらの中央に向かう線。心身の疲労や衰えのある場合に現れる警告サイン。

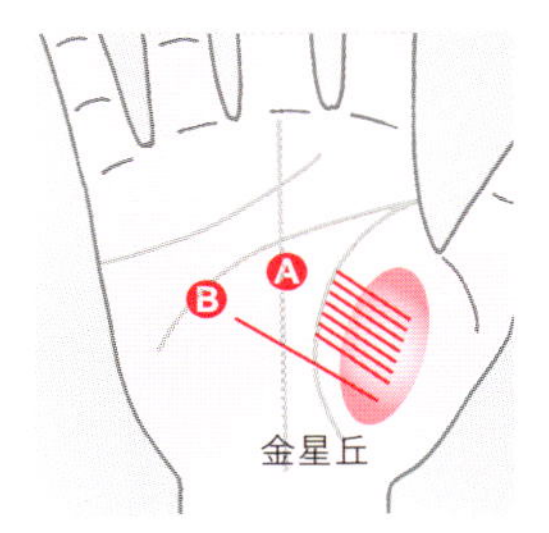

A ストレス線の本数＝神経の疲れ

６本以下は、気を遣い過ぎて少々お疲れ気味。６本以上は、神経過敏の超ストレス状態。

B ストレス線の長さ＝ストレス度

手のひら中央に届く長い線は「高いストレス度」。生命線の内側にとどまる短い線は、「軽いストレス度」。

ストレス線をやわらげる方法

◎ 第1章①③ストレッチ＆マッサージ（P20-21、P24-25）
◎ 健康アップのストレッチ＆マッサージ（P102-103）

放縦線

放縦線は、月丘を起点に生命線に向かってのびる線。肉体的に疲労しているときに現れる警告サイン。

A 放縦線の位置＝限界のサイン

生命線に接している線は、疲労がピークの状態。生命線を越えている線は、すでに限界を超えている状態。

B 放縦線の濃さ＝疲労度

薄い線は、疲労が慢性化しているサイン。濃い線は、肉体疲労がピークの状態。

放縦線をやわらげる方法

◎ 第1章①～③ストレッチ＆マッサージ（P20-25）
◎ 健康アップのストレッチ＆マッサージ（P102-103）

健康線

健康線は、水星丘の周辺を起点に生命線に向かう斜めの線。体調が悪いときに現れる警告サイン。

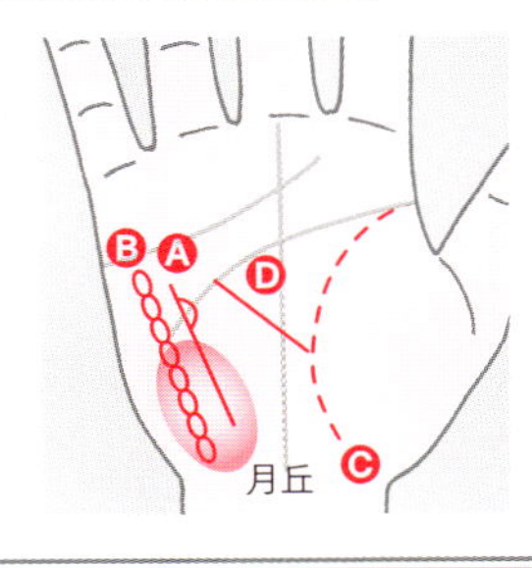

A 線上に島がある線

内臓機能が低下しているサイン。

B くさり状の線

呼吸器系の病気を知らせるサイン。

C 切れ切れの線

消化器系の病気を知らせるサイン。

D 生命線からのびる線

循環器系の病気を知らせるサイン。

健康線をやわらげる方法

◎ 健康アップのストレッチ＆マッサージ（P102・103）

「幸運をつかむ」ハンドライン術

恋愛運

「恋人が欲しいけれど、出会いがない」「片思いを両思いにしたい」…そんなあなたを応援するハンドラインを紹介します。ステキな恋ができますように！

ステキな恋を呼び込む「線」と「丘」

恋愛に欠かせない心の動きをコントロールする「感情線」

「感情線」は、恋愛に欠かせない愛情や感情表現を表すメインの線です。

感情線の「のびる方向」は情熱的かなどの恋愛タイプを、「長短」では愛情表現の方法を表しています。また、感情線上の枝線は「異性と出会うチャンス」をもたらしてくれる線です。

恋愛運をさらにアップさせる「結婚線」「金星帯」「出会い線」

恋愛に不可欠な異性への関心度を表す**「結婚線」**は、異性への積極性を後押ししてくれます。

異性から好かれる運気をもたらしてくれるのが**「金星帯」**、**「出会い線」**です。「金星帯」があること自体で異性を引きつける魅力度をアップします。また、「出会い線」は異性から関心をもたれて出会いのチャンスが増えていきます。

さらに、**「金星丘」**が発達していると愛情豊かで充実した恋愛運になります。

恋愛運アップ
ハンドラインを描く手順

① 基本のストレッチ＆マッサージ（P20-25）
② 恋愛運アップのストレッチ＆マッサージ（P110-111）
③「つかみたい恋愛運」を明確に認識する
④ 描き込むハンドラインを選ぶ
⑤ 目立たない色のペンで線を描き、ツメなどでなぞる

恋愛運で幸運をつかむ「線」と「丘」

「恋愛運」にかかわる感情線・結婚線・金星帯・出会い線、そして金星丘の位置を確認、さらにハンドラインを描く方向を覚えましょう。

感情線

愛情表現や異性へのアプローチ

位置
小指の下から木星丘に向かってのびる線

金星帯

異性をひきつける魅力

位置
人差し指と中指の間、薬指と小指の間から半円を描くようにのびる線

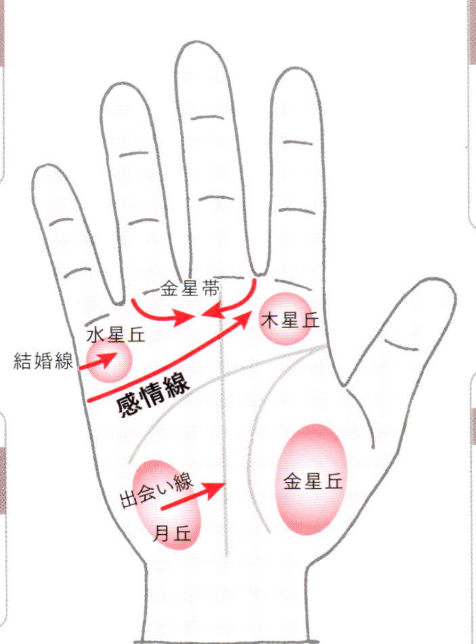

結婚線

異性への関心度、積極性

位置
小指の下から水星丘に向かってのびる線

金星丘

恋愛のエネルギー

位置
親指のつけ根にある丘
丘の発達
恋愛に対してバイタリティがあり、エネルギッシュで魅力的

出会い線
（引き立て線）

異性からの人気度

位置
月丘から運命線に向かってのびる線。恋愛運以外では「引き立て線」と呼ぶ

恋愛運のハンドラインは、人間関係にも当てはまるのにゃん！ 恋愛も、友だち関係も、仕事関係でも役に立つにゃ

恋愛運アップのストレッチ&マッサージ

仕事運をつかむメインの「感情線」を中心に「線」と「丘」の周辺をストレッチ&マッサージして、恋愛運をアップしましょう(両手で1回3セットを目標に)。

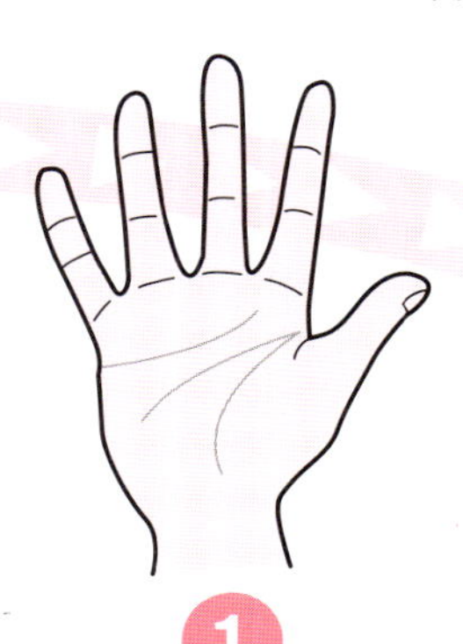

1
手のひらを反らせて、指の間をできる限り開く

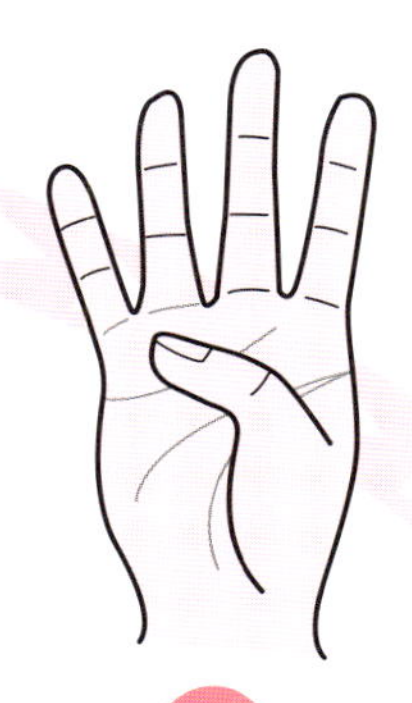

2
親指だけを曲げる

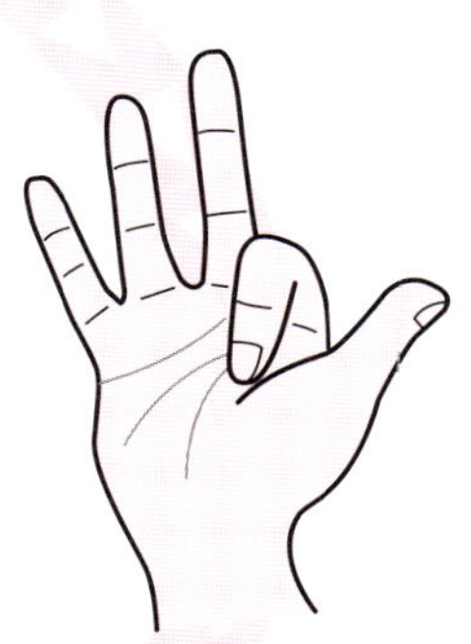

3
人差し指だけを曲げる

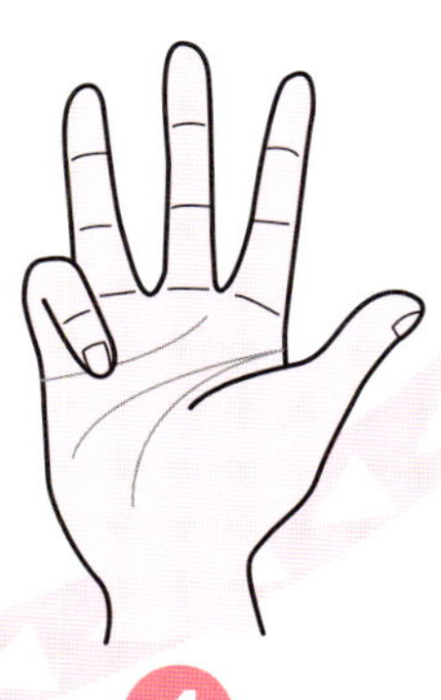

4
小指だけを曲げる

5
① 手のひらを上に向け、もう一方の手の親指を知能線の下あたりに置く
② 月丘にそってずらしながら押す

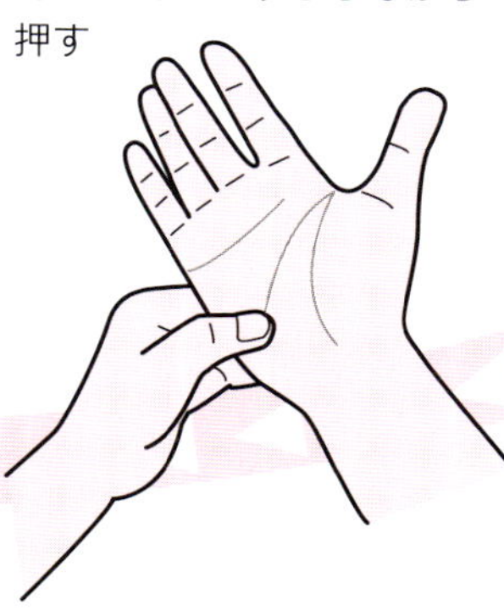

- 時間のあるときには、第1章の「基本のストレッチ＆マッサージ」(P20-25)を行ってから、続いて行うと効果的です。
- 時間のない時は、メインの「感情線」にかかわる7-8-9を中心にストレッチ＆マッサージを行いましょう。

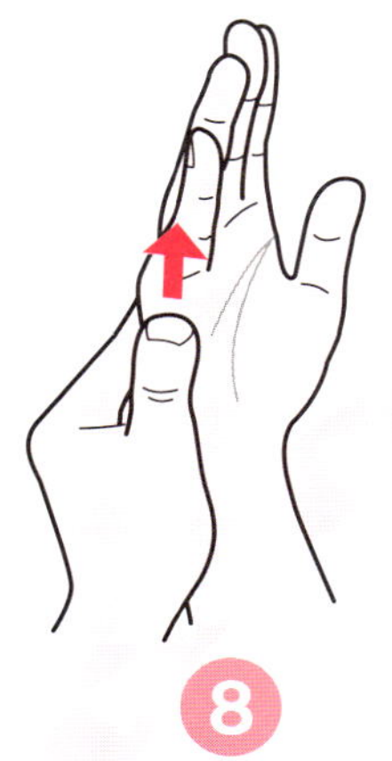

8

① 小指側の側面にもう一方の手の親指を小指のつけ根あたりにある骨にあてる
② 骨の下に親指をもぐり込ませるようにして、上に向けて押し上げる

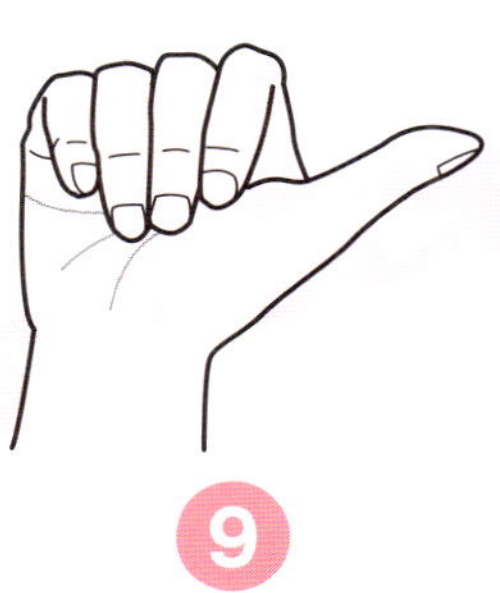

9

親指以外の指を折り、力を入れて握る

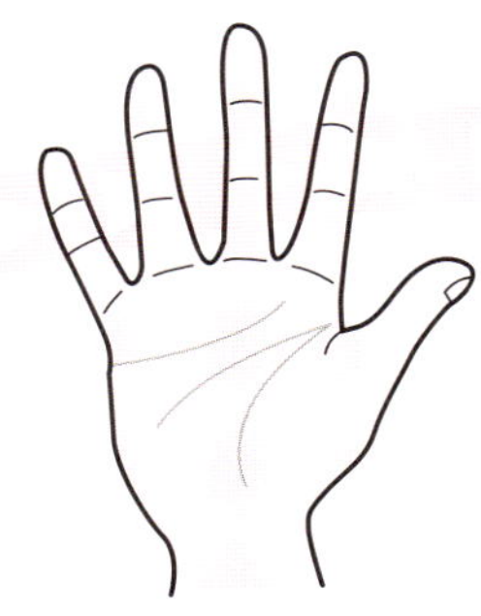

10

1に戻り、3セット行う

6

① 手のひらを上に向け、もう一方の手の親指を金星丘にあてる
② ふくらみの周辺を少しずつずらしながら押す

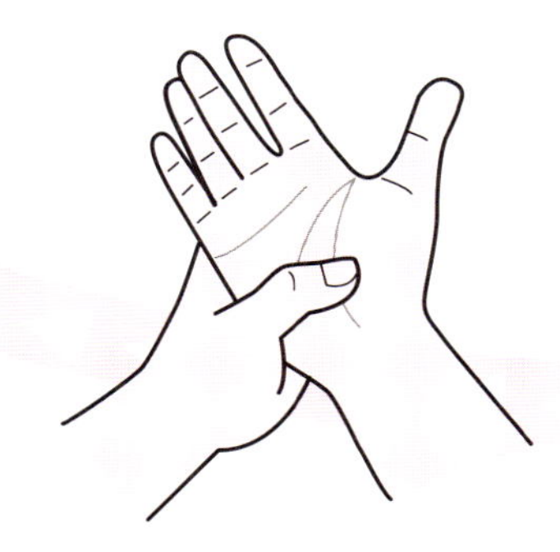

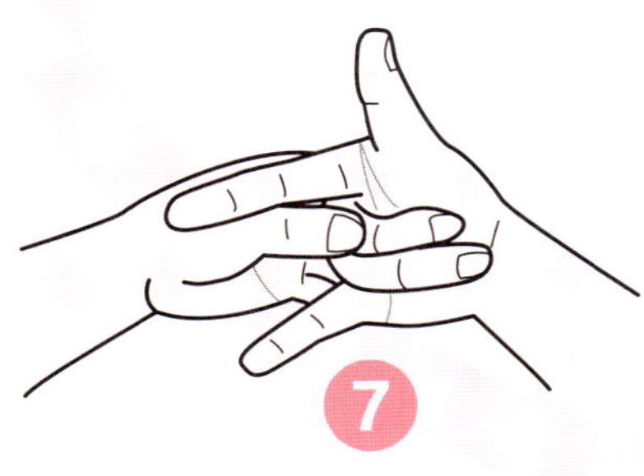

7

① 手のひらを上に向け、中指と薬指を曲げる
② もう一方の手の親指を 中指と人差し指の間に置き、内側に向かって押す

性格 金運 仕事運 健康運 恋愛運 結婚運

開運
ハンドライン術

豊かな愛情表現を身につける感情線の描き方

一途な恋心を手に入れたい

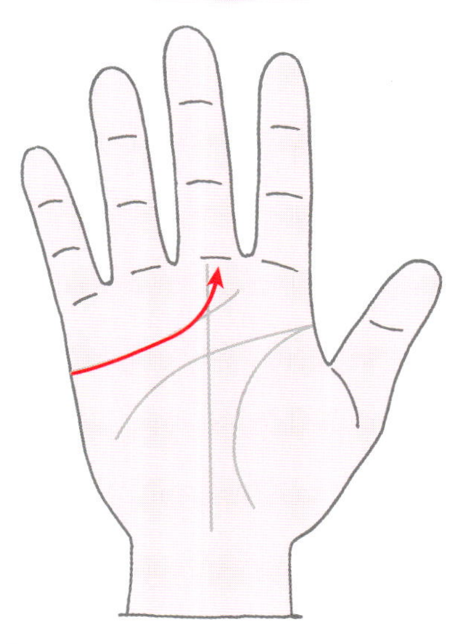

感情線の終点を中指寄りにのばすように描く

深い愛情を持ち、優しい気持ちで恋人に接するだけでなく、恋人のために一生懸命に一途になれる恋愛ができます。

恋愛運UPアドバイス

中指のつけ根まで届く線を描いてしまうと、相手の気持ちを考えない恋愛になるので注意を。

恋人に豊かな愛情表現を

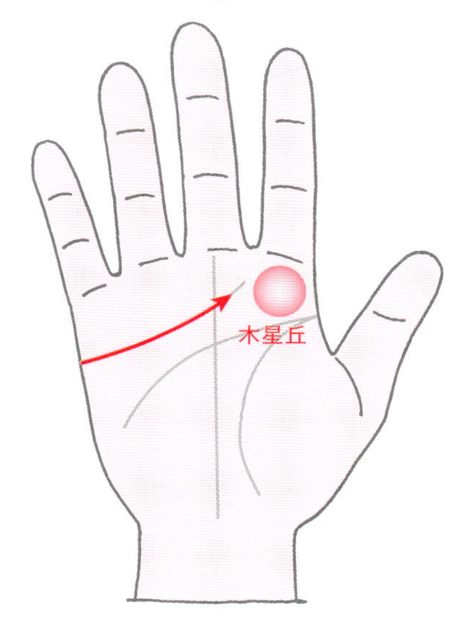

感情線の終点を木星丘に届かないくらいのゆるやかな曲線で描く

愛情表現が豊かで情熱家、また面倒見のよいことを表します。相手の心を自分に向ける魅力も増します。

恋愛運UPアドバイス

木星に届くほど長い感情線は、情熱的で強い独占欲を持つ傾向に。短めで直線の感情線は愛情表現がクールで控えめ、短めのゆるやかな曲線は愛情表現が消極的に。

開運ハンドライン術

異性をひきつける魅力をアップさせる感情線の描き方

気遣いや献身的な魅力で相手をひきつける！

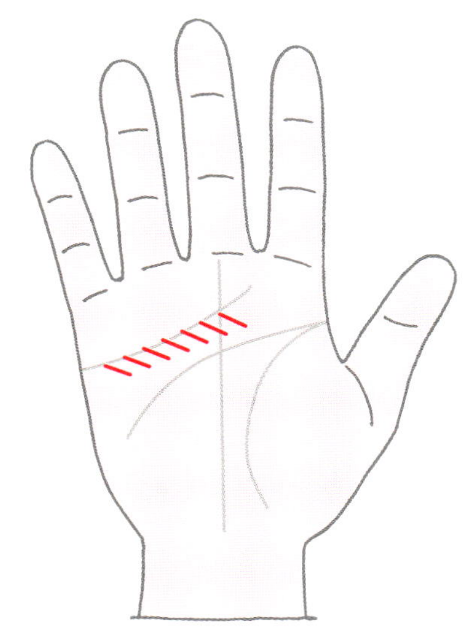

感情線の下に短い枝線を複数本描く

神経が細やかで思いやりがあり、献身的な愛情で愛する人を包むことができます。

恋愛運UPアドバイス

片思いの場合は、なかなか恋愛に発展しないタイプになるため、この線はおすすめできません。上にも支線を描くと八方美人の傾向に。

魅力アップでモテモテに

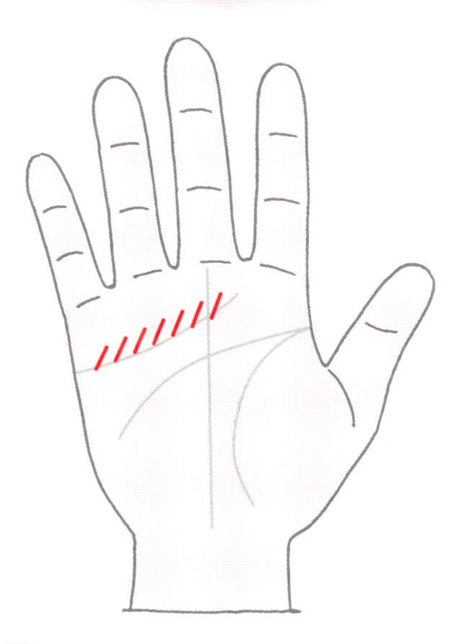

感情線の上に短い枝線を複数本描く

心がときめくような人との出会い運をもたらす、出会い運上昇の線です。また、この線は明るく社交的でポジティブ思考も引き寄せます。

恋愛運UPアドバイス

線は多めに描くことをおすすめします。行動範囲を広げて出会いのチャンスをゲットしましょう。下にも支線を描くと八方美人になり、恋愛成就は難しいかも。

開運
ハンドライン術

異性の注目度アップのモテ期を呼び込む感情線の描き方

意中の人を射止めたい!

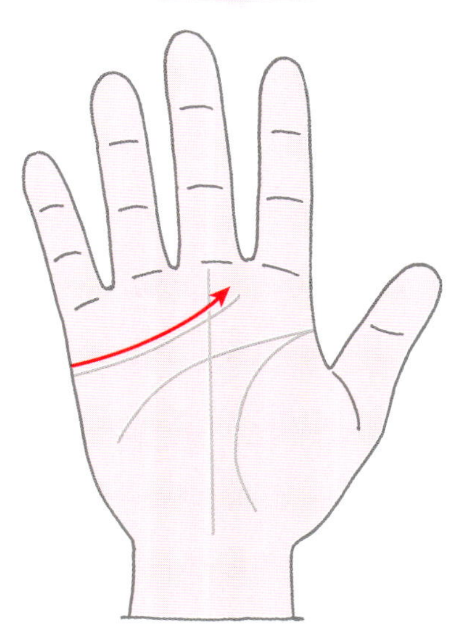

感情線にそって、もう1本の線を描く

感情線が2本ある「二重感情線」(P58「本数」参照)は、人の2倍の愛情と情熱を持っていて、強い愛情と情熱を恋愛に注ぎます。粘り強く相手にアプローチしたい人には、おすすめの線です。

恋愛運UPアドバイス

感情のコントロールを上手に行うこと。愛情が行きすぎなければ、順調に行くハンドラインです。

性格のよさで異性をひきつける

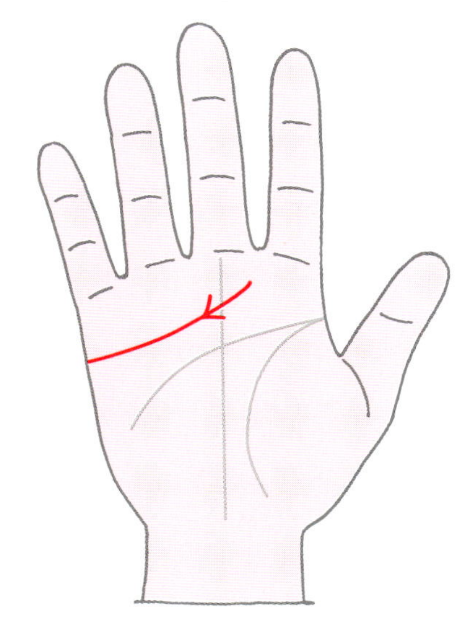

感情線の先端が、3つに分かれるように線を描く

カリスマ性があって、明るくだれにでも親切。心のふれあいを大切にして、異性からモテるようになります。

恋愛運UPアドバイス

三つ叉の線は、美的センスを高めるので身だしなみにも気をつけるとさらに運気がアップします。

開運ハンドライン術

異性をひきつける魅力をアップ！金星帯の描き方

セクシーな魅力がアップ

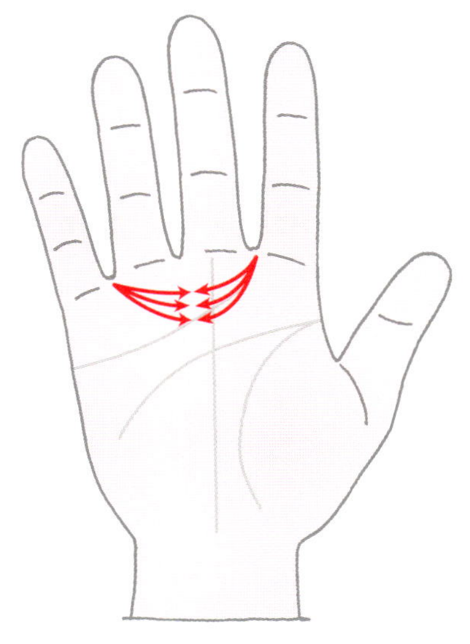

人差し指と中指の間、薬指と小指の間を起点にした金星帯を複数描く

色気があり、異性からとてもモテるセックスアピールに長けた線。感受性や愛情が豊かなのも特徴です。

恋愛運UPアドバイス

モテ過ぎて異性関係にだらしがなくなると、運気がダウンするので注意。

異性の注目を浴びたい！

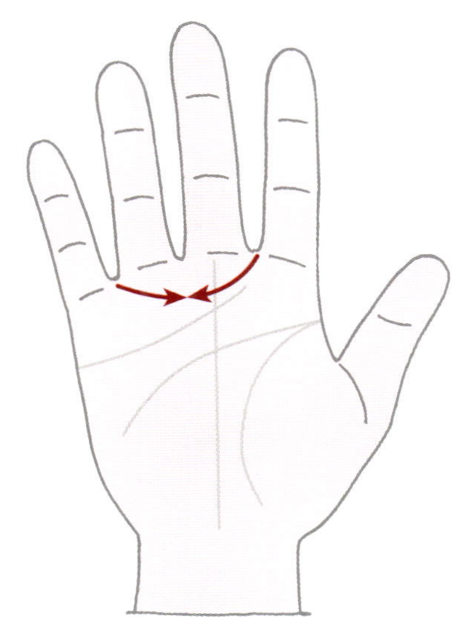

人差し指と中指の間、薬指と小指の間を起点にした金星帯を濃く太く描く

豊かな感受性や異性をひきつける魅力が最大限アップします。もちろん、本人も恋愛に積極的に取り組むようになります。

恋愛運UPアドバイス

本来、切れ切れ、薄い線などの多い金帯線を濃く描くのがポイント。あるだけでモテる線を、さらにパワーアップさせます。

開運ハンドライン術

恋愛のチャンスをつくる金星帯の描き方

恋愛がしたい!

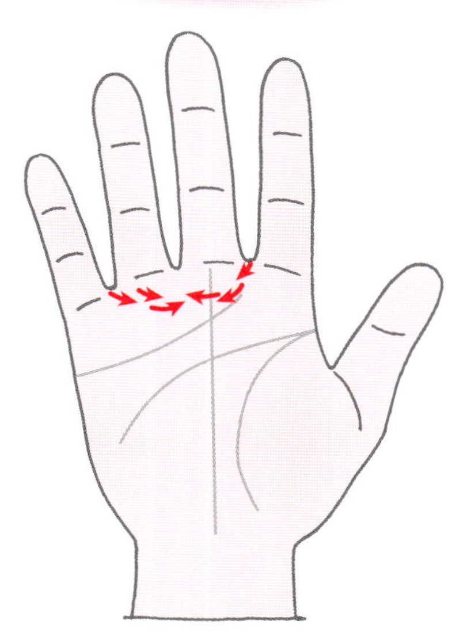

人差し指と中指の間、または薬指と小指の間を起点にした切れ切れの線を描く

異性をひきつける雰囲気が身につきます。「恋愛はしたい」という人におすすめの線です。

恋愛運UPアドバイス

この線があると異性に積極的で惚れっぽい傾向になるため、恋人ができたら、描いた線は消しましょう。

恋愛のチャンスを呼び寄せたい

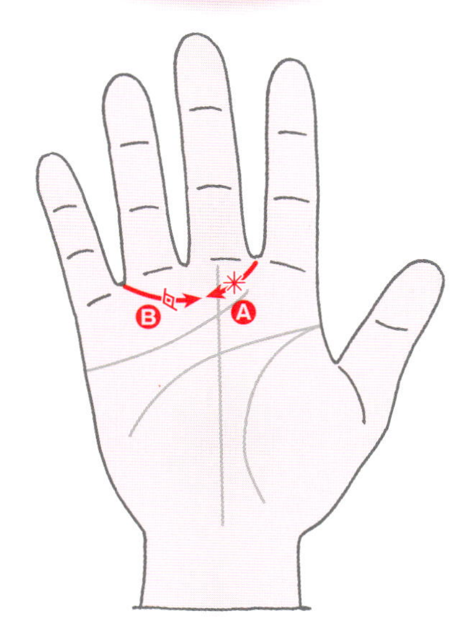

Ⓐ 線上に、星型✳を描く
Ⓑ 線上に、魚型を描く

Ⓐ 魅力アップ! 豊かな感受性を得て、出会いのチャンスを広げます。

Ⓑ 人をひきつける魅力で恋愛運がアップします。別れた相手とのきっかけになる可能性も。

恋愛運UPアドバイス

ⒶⒷとも、恋愛だけでなく、優れた仕事が評価されるなど、予期せぬ幸運を呼び寄せます。

開運 ハンドライン術

恋愛に積極的になる結婚線・出会い線の描き方

みんなに愛される最大の恋愛運をゲット

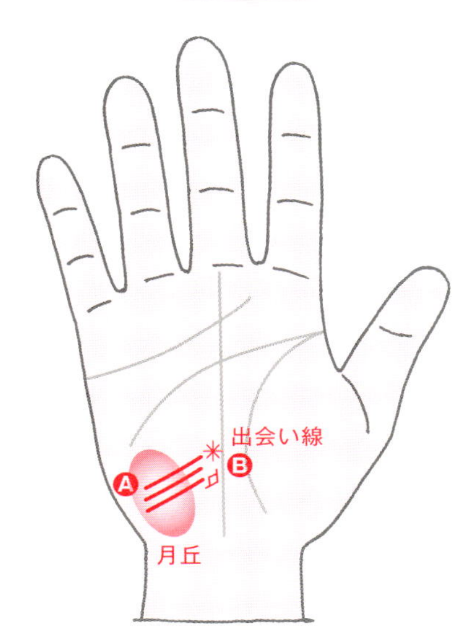

A 月丘から運命線に向かってのびる線を複数本描く
B 出会い線の先端あたりに星型✳や魚型のマークを描く

A 異性から関心を寄せられる出会い線。複数本の線は、多くの人から愛されることを示します。
B 人生最大級の恋愛運を呼び込みます。

恋愛運UPアドバイス

A 多すぎる線は、愛されキャラが浮気性に変化するので注意。
B マークの位置＝時期なので、運命線で確認(P61「運命線の年齢の目安」参照)を。

異性の友人が増え、恋愛に前向きに！

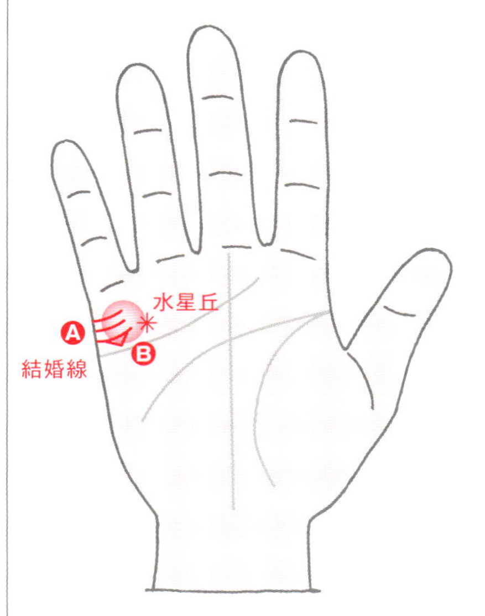

A 小指の下を起点に水星丘にのびる線を3本以上描く
B 結婚線の近くに三角の線や星型✳を描く

A 複数線の結婚線は、異性への関心度が高く、出会いの機会の増加を表します。
B 恋人ができる、恋愛に前向きになるマークです。

恋愛運UPアドバイス

A 全体に同じ長さで薄い線は、恋愛優先で婚期を逃す可能性も。
B 結婚線上なら、高嶺の花というような相手と恋愛する可能性が高まります。

「幸運をつかむ」ハンドライン術

結婚運

「結婚したい」「幸せな結婚生活を過ごしたい」などなど、結婚の運気をアップさせて、幸せな結婚を呼び込みましょう。

幸せな結婚への望みを叶える「線」と「丘」

結婚全般は、この線がメイン！「結婚線」

「結婚線」は、字のごとく結婚を示す線です。ちなみに、結婚線がないのは「結婚できない」のではなく、「結婚に関心がない」ことを表しています。

結婚線の「起点の位置と長さ」では結婚の時期、「本数」では縁の数、「濃さと長さ」では結婚生活の幸せ度などを表します。

結婚運を「四大基本線」と「金星丘」がサポート

結婚運は、結婚の縁だけでなく生活そのものにもかかわります。そのため、四大基本線が結婚運をサポートします。**「感情線」**は夫婦間や家族への愛情を、**「運命線」**は結婚生活の

状況や、家族間の運気を。生命力や活力、生活力を。**「生命線」**は、生命力や活力、生活力を。**「知能線」**は、結婚の決断やどんな家庭を築くかなどを表します。

「金星丘」が発達していると健康的で生命力が強く、愛情深い結婚運を呼び込めます。

結婚運アップ ハンドラインを描く手順

① 基本のストレッチ＆マッサージ (P20-25)
② 結婚運アップのストレッチ＆マッサージ (P120-121)
③「つかみたい結婚運」を明確に認識する
④ 描き込むハンドラインを選ぶ
⑤ 目立たない色のペンで線を描き、ツメなどでなぞる

結婚運で幸運をつかむ「線」と「丘」

「結婚運」にかかわる結婚線・感情線・運命線・生命線・知能線と丘の位置を確認、さらにハンドラインを描く各線の方向を覚えましょう。

結婚線

結婚の時期、夫婦関係、結婚生活

位置
小指のつけ根と感情線の間から水星丘に向かってのびる線

運命線

結婚生活の状況

位置
手のひらのさまざまなところから中指のつけ根に向かってのびる線。線が現れない場合もあります

感情線

夫婦や家族への愛情

位置
小指の下から人差し指に向かってのびる線

生命線

心身のエネルギー状況

位置
親指と人差し指のつけ根の間から手首に向かってのびる線

知能線

結婚への判断力や行動力

位置
親指と人差し指のつけ根の間から手のひらを横切ってのびる線

金星丘

生命力、肉体的な愛情

位置
親指のつけ根にある丘

丘の発達
体力があってエネルギッシュで性的なエネルギーを表す

結婚線
感情線
知能線
金星丘
生命線
運命線

プラス1　結婚線 結婚時期の目安

感情線と小指のつけ根の間を４等分した線を目安に、結婚の時期や出産にかかわる時期などの年齢をみていきます。年齢は、男女で異なります。ここでは「赤＝女性」「黒＝男性」で記載しています。

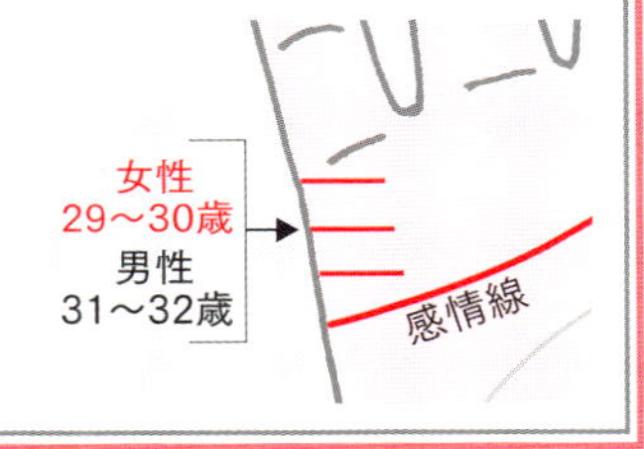

結婚運アップのストレッチ＆マッサージ

結婚運をつかむメインの「結婚線」を中心に「線」と「丘」の周辺をストレッチ＆マッサージして、結婚運をアップしましょう（両手で1回3セットを目標に）。

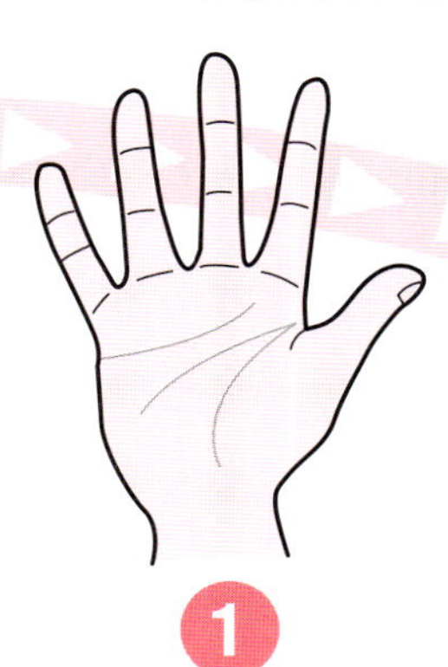

1 手のひらを反らせて、指の間をできる限り開く

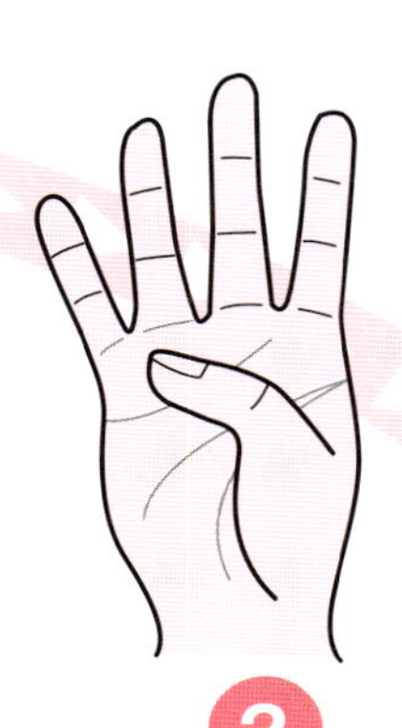

2 親指だけを曲げる

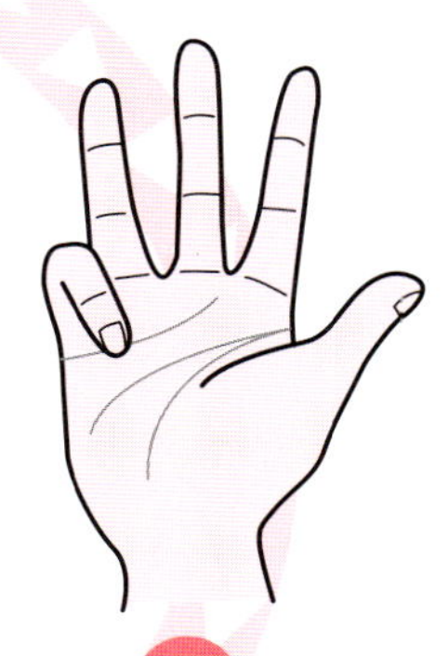

3 小指だけを曲げる

4 薬指だけを曲げる

5 親指以外の指を折り、力を入れて握る

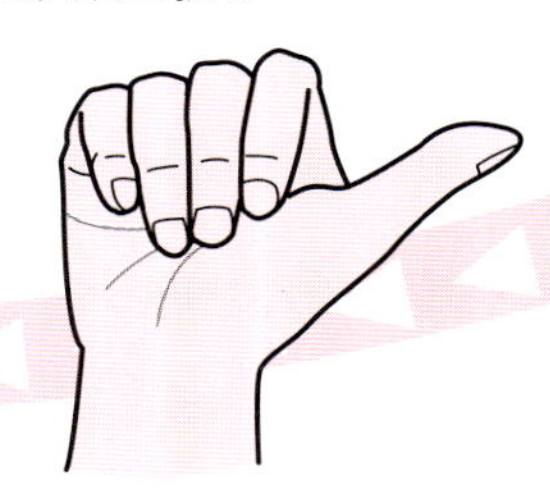

- 時間のあるときには、第1章の「基本のストレッチ＆マッサージ」(P20-25)を行ってから、続いて行うと効果的です。
- 時間のない時は、メインの「結婚線」にかかわる3-5-6を中心にストレッチ＆マッサージを行いましょう。

6

① 小指側の側面にもう一方の手の親指を小指のつけ根あたりにある骨にあてる
② 骨の下に親指をもぐり込ませるようにして、上に向けて押し上げる

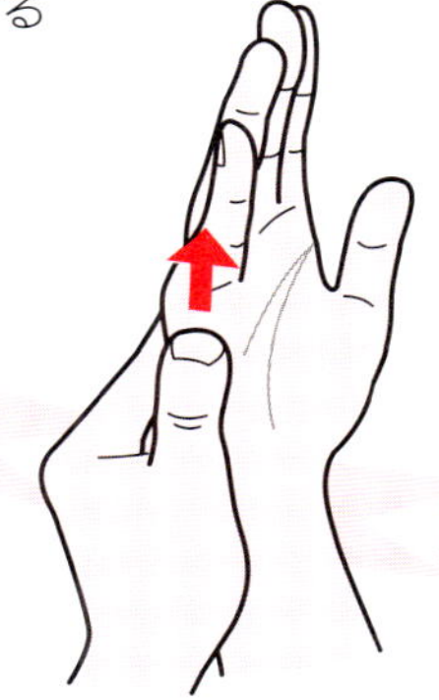

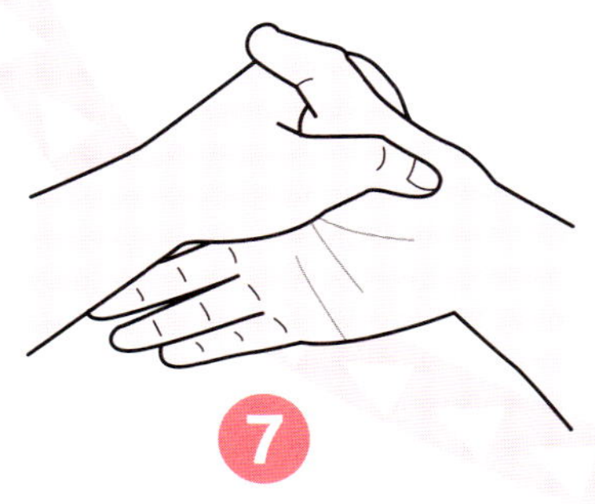

7

手のひらを上に向け、親指と人差し指のつけ根あたりをもう一方の手の親指で押す

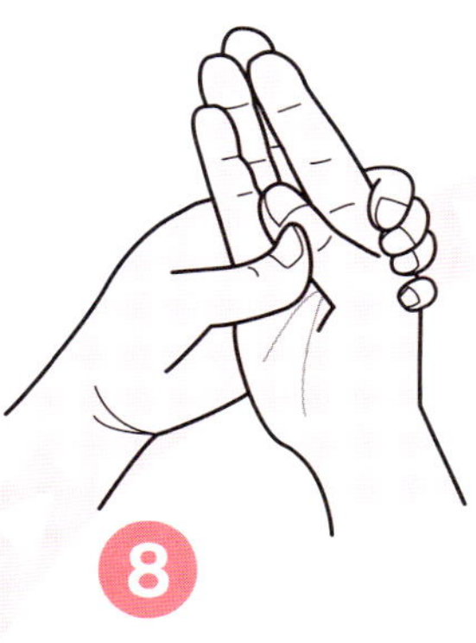

8

① 手のひらを上に向けて、親指と小指を合わせるようにすぼめる
② すぼめた手をもう一方の手でつかむ

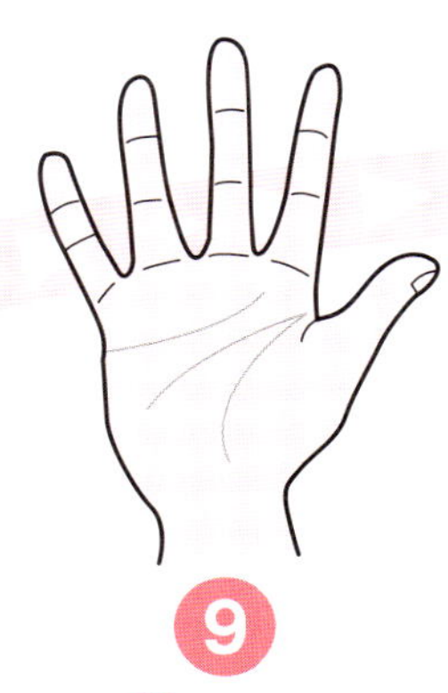

9

に戻り、
3セット行う

開運ハンドライン術

結婚時期を呼び寄せる結婚線の描き方

早婚でしあわせ婚 晩婚でしあわせ婚

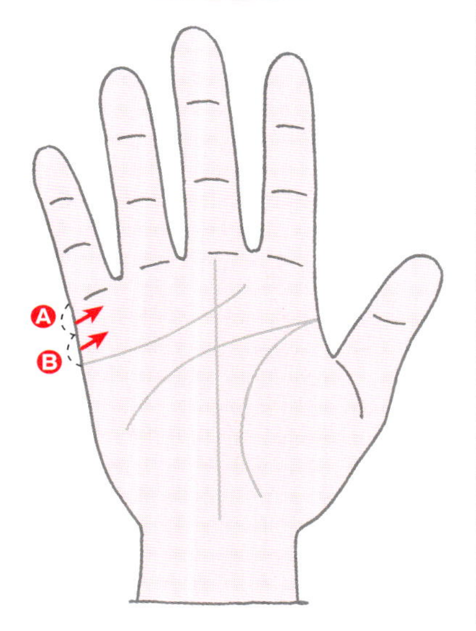

Ⓐ 結婚線の起点を小指のつけ根と感情線を2等分した線の上に描く
Ⓑ 結婚線の起点を小指のつけ根と感情線を2等分した線の下に描く

Ⓐ 小指に近いほど、結婚が遅い晩婚タイプです。
Ⓑ 感情線に近いほど、結婚が早い早婚タイプです。

結婚運UPアドバイス

ⒶⒷとも、結婚線を描く位置＝結婚したい時期は「結婚線 結婚時期の目安」(P119)で確認して描きましょう。

結婚へ踏み出すきっかけをつくる!

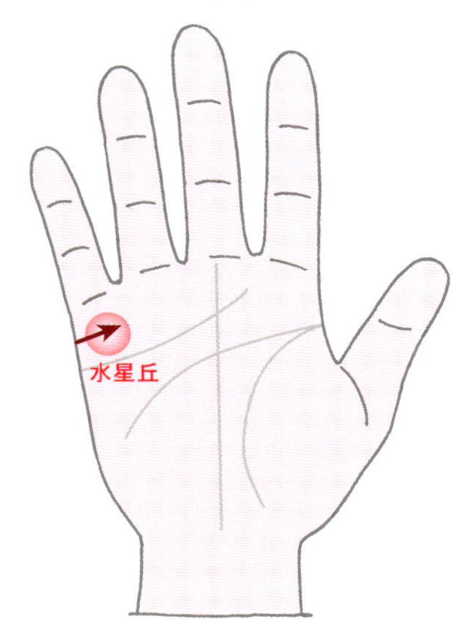

結婚線の終点が少し上向きで水星丘にのびるように長く濃く描く

経済的にも結婚の準備が整いつつあることを表す線です。この線を描いて経済的な準備のきっかけに。長く濃い線を描くと、良縁に恵まれます。

結婚運UPアドバイス

経済面は、線を長く濃くしっかり描くこと。恋人とのゴールインを望むなら、ゆるやかな曲線を少し上向きに描きましょう。

開運ハンドライン術

恋愛から結婚へステップアップする結婚線・知能線の描き方

優柔不断な自分にさよなら！結婚を決断

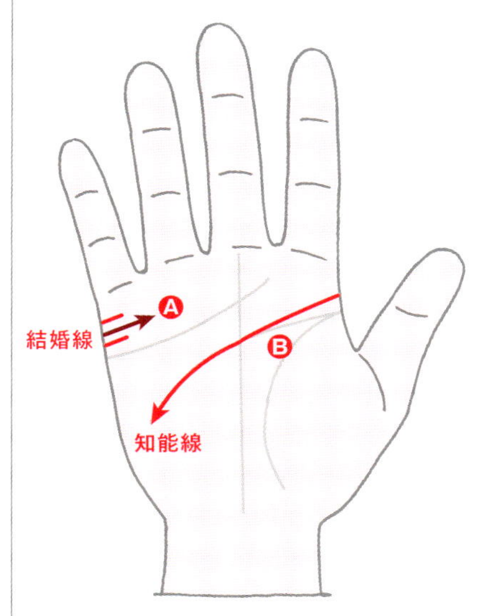

A 結婚したい時期の結婚線を他よりも濃く長く描く

B 知能線の起点が生命線から離れた線を描く

A 1本の濃く長い線は、結婚運アップを表します。

B 生命線から離れるほど、判断力に長けていて決断したら即行動する積極性を表します。

結婚運UPアドバイス

AB を両方描くことで、なかなか踏み出せない結婚へのステップをあがれるはず。結婚線を描く位置は、「結婚線 結婚時期の目安」（P119）で確認を。

恋愛から結婚へ動き出す

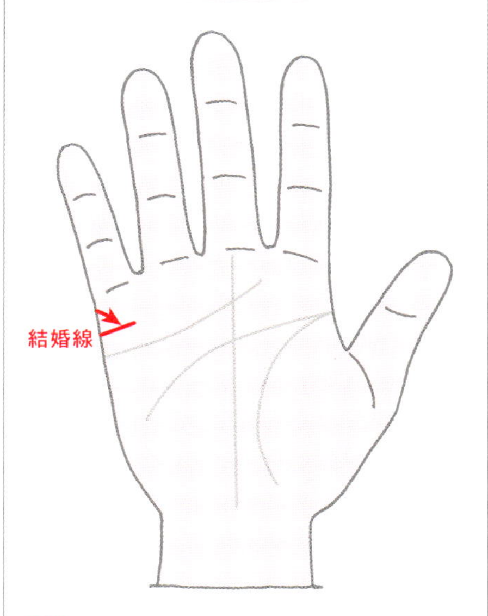

結婚線上に合流するように、もう1本結婚線を描く

長く付き合っているのに、なかなか結婚できない場合におすすめの線。さまざまな理由で進まなかった恋愛が結婚に動き出すハッピーラインです。

結婚運UPアドバイス

ハードルの高い結婚にもおすすめ。結婚線を描く位置＝結婚したい時期は「結婚線 結婚時期の目安」（P119）で確認して描きましょう。

開運
ハンドライン術

結婚で開運する 結婚線・運命線の描き方

配偶者の協力で 運気上昇

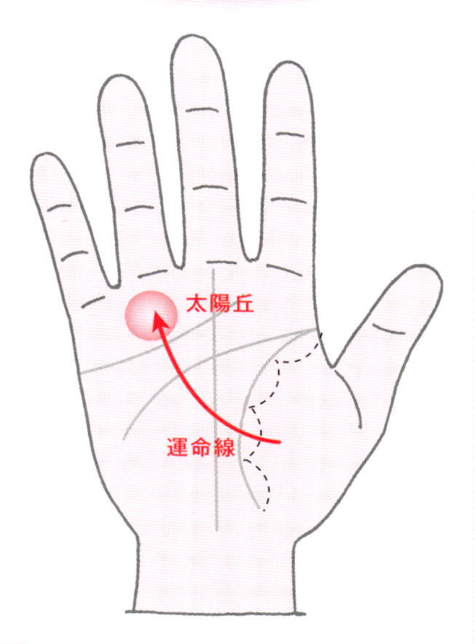

生命線の上から3/4の内側を起点に、太陽丘までのびる線を描く

生命線の3/4は配偶者の協力などで運勢を上昇させ、太陽丘に届くことで幸せ度がアップすることを表します。結婚で運勢が、どんどんよくなっていきます。

結婚運UPアドバイス

太陽丘にしっかり届くほど、運勢がアップします。

結婚で 運気アップ!

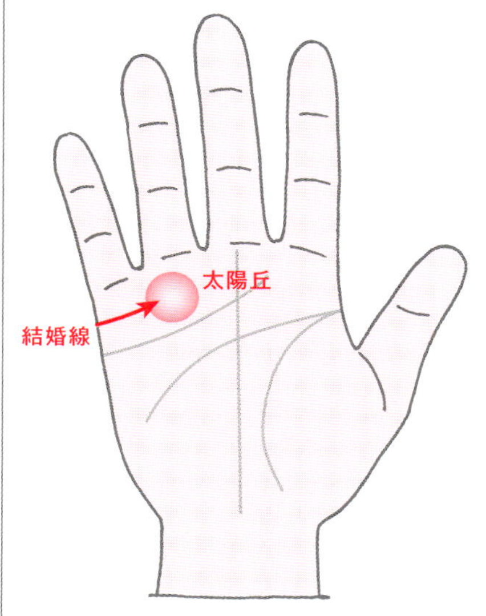

結婚線の終点を太陽丘に届くように長く描く

長い結婚線は、結婚運を上昇させますが、太陽線に届く線はさらに運気をアップさせます。女性なら「玉の輿線」、男性なら「逆玉の輿線」ともいい、経済的に恵まれた結婚につながります。

結婚運UPアドバイス

結婚線が、しっかりと太陽線に届くように描きましょう。

開運ハンドライン術

幸せな家庭生活を送れる結婚線・感情線の描き方

良き夫、良き妻であたたかな家庭

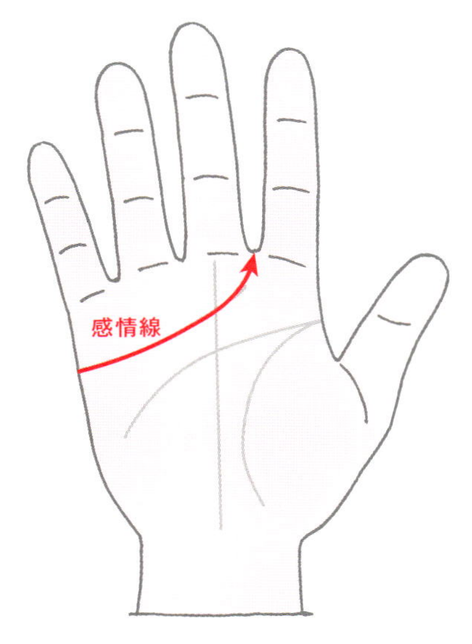

感情線の終点を中指と人差し指の間に届くように描く

堅実で愛情が豊か、家族思いで家庭円満を第一に考える線です。恋愛から結婚へのステップもスムーズになるはずです。

結婚運UPアドバイス

人差し指に寄ると過保護気味な家庭に。手のひらの端までのびると、かかあ天下や亭主関白の家庭になります。

愛情に満ちた落ち着いた結婚生活

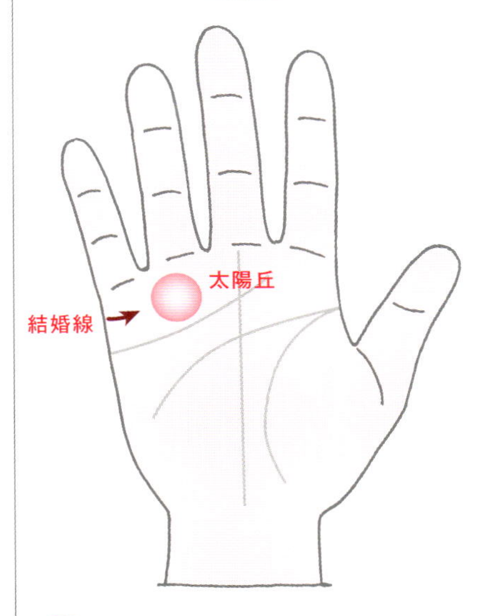

太陽丘に届かない濃く短い結婚線を描く

夫婦の結びつきが強くなり、愛情や信頼に満ちた結婚生活をもたらします。

結婚運UPアドバイス

濃いしっかりとした線を描きましょう。

開運
ハンドライン術

結婚生活を安定させる運命線・結婚線の描き方

夫婦二人三脚で幸せをつかむ!

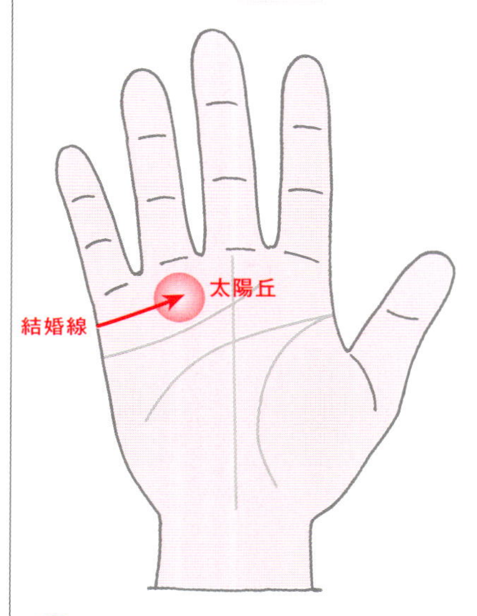

薄い結婚線の終点が太陽丘に届くように長く描く

お互いに穏やかな愛情を持ち、何ごとも2人力を合わせて二人三脚で取り組んで幸せをつかむ線です。

結婚運UPアドバイス

しっかりと太陽丘に届くように描くことがポイントです。

経済的にも結婚生活が安定

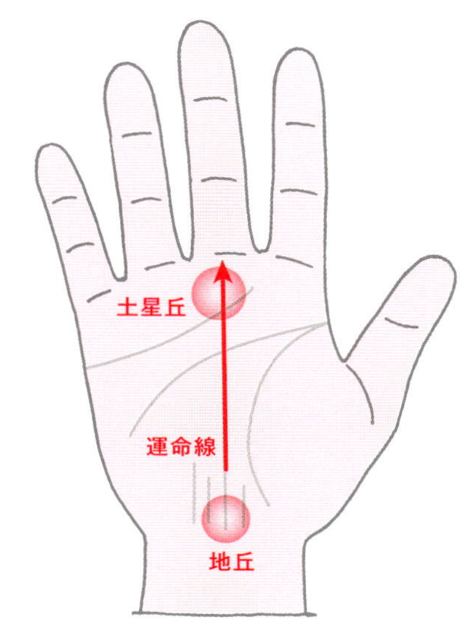

運命線を途中から1本、真っすぐに描く

それまで不安定だった結婚生活を精神的にも、経済的にも安定させることのできる線です。

結婚運UPアドバイス

安定させる時期を運命線で確認(P61「運命線の年齢の目安」参照)して、線を描く位置を決めましょう。

開運ハンドライン術

子どもがしあわせを運ぶ感情線・生命線の描き方

エネルギーに満ちあふれ精力アップ

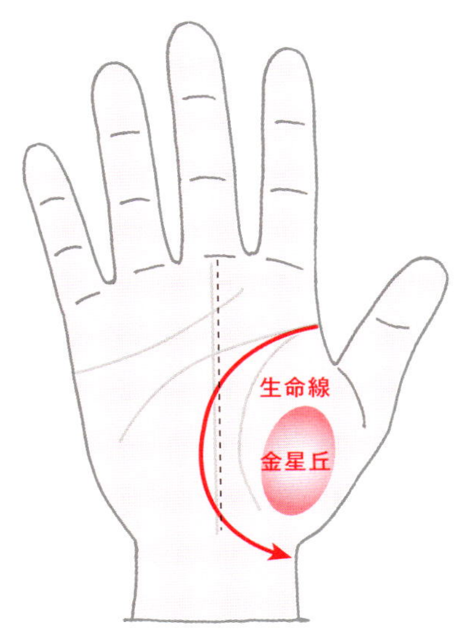

生命線の曲線を中指の延長線よりも外側に大きく張りし、手首まで回り込むように描く

生命力を表す生命線は、子孫繁栄の能力も表します。大きく張り出して、手首までのびる線は、エネルギッシュで精力もアップします。

結婚運UPアドバイス

生命線の張り出しと金星丘の発達は比例して効果が出るので、「結婚運アップのストレッチ」を行って金星丘にハリをもたせましょう。

別名「子ども線」でしあわせに

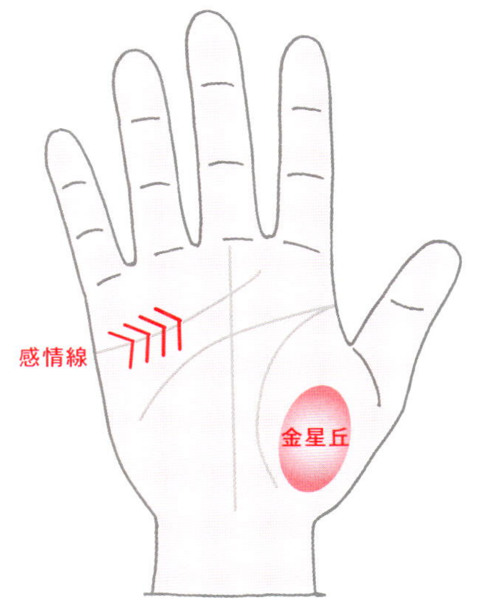

感情線の起点の上下に枝線を描く

子どもを産む準備が整い、子宝に恵まれやすいことを表す線。枝線の数は、こどもの数ともいわれています。

結婚運UPアドバイス

金星丘が発達していると生命力に溢れ、子どもにも恵まれやすいとされているので、「結婚運アップのストレッチ」で金星丘のパワーをアップさせましょう。

✏ 著者　北島禎子（きたじま・ていこ）
専門的に手相を学び、その知識をベースに独自の手相鑑定法をプラス。ボランティアでの手相教室などを開催（現在は手相教室等活動中止）。

✏ 構成・編集
オフィスクーミン／佐藤公美

✏ デザイン・イラスト・DTP
山口千尋

「運気が上がる手相」のつくり方 改訂版
幸運を引き寄せる実践メソッド

2022年6月15日　第1版・第1刷発行

著　者　北島禎子（きたじま ていこ）
発行者　株式会社メイツユニバーサルコンテンツ
　　　　代表者　三渡 治
　　　　〒102-0082東京都千代田区平河町一丁目1-8
印　刷　三松堂株式会社

ご意見・ご感想はホームページから承っております。
ウェブサイト　https://www.mates-publishing.co.jp/

編集長：堀明研斗　企画担当：千代 寧

※本書は2018年発行の『「運気が上がる手相」のつくり方 プロが教える引き寄せのコツ』を元に内容の確認、加筆・修正を行い、「改訂版」として新たに発行したものです。